ZAHLEN

W0076548

GRUNDRISS

VERTIEFUNGEN

ANHANG

1 DIE ATOME DER ZAHLEN

1.1 Eine intragalaktische Grußbotschaft

Der Astronom Carl Sagan, Autor des populärwissenschaftlichen Welt-bestsellers *Unser Kosmos* und Moderator der gleichnamigen, in den frühen Achtzigerjahren sehr beliebten Fernsehserie, veröffentlich-te wenige Jahre vor seinem Tod den utopischen Roman *Contact*, der (mit Jodie Foster in der Hauptrolle) auch verfilmt wurde. Kernthema des Romans sind die Existenz einer außerirdischen Intelligenz und die Möglichkeiten, mit derselben zu kommunizieren. Da zur Entste-hungszeit des Romans gerade das erste außerhalb unseres Sonnen-systems gelegene Planetensystem entdeckt wurde, nämlich das des 26 Lichtjahre von der Erde entfernten Sterns Wega, siedelt Sagan die intelligente Spezies, die mit der Menschheit Kontakt aufnimmt, auch genau dort an. Ist eine Kommunikation zwischen der Erde und ei-nem Planeten der Wega aus linguistischen Gründen ohnehin bereits sehr mühsam, kann eine solche aufgrund des langen Übertragungs-weges auch nur sehr bescheiden sein. Praktisch verbleibt (in einem durchschnittlichen Menschenleben) nur die Möglichkeit einer einzi-gen Kontaktaufnahme.

Wenn eine intelligente Spezies Radiowellen ins All senden will, um auf ihre Existenz aufmerksam zu machen, muss sie darauf achten, dass der potentielle Empfänger möglichst gute Chancen hat, die Ra-diobotschaft überhaupt zu bemerken. Ein umfassendes Verständnis derselben ist zwar wünschenswert, aber sekundär, denn bereits mit dem wahrgenommenen Empfang des Signals wird auf jeden Fall die Kernbotschaft verstanden, die etwa lauten mag: »Schaut euch unser Signal genau an und erkennt, dass ihr nicht alleine im Weltall seid.«

Die kosmische Botschaft soll also möglichst einfach sein, jeden-falls so einfach wie möglich beginnen, muss aber auch eine Struktur besitzen, die erkennbar anders ist als eine der ohnehin ständig auf der Erde eintreffenden Radiowellen, die kosmisch-natürlichen Ursprungs sind (Quasare, Pulsare, Radiogalaxien). Naheliegenderweise werden zu Beginn der Botschaft Zahlen gesendet, da die Zahlen als der einfachste Teil einer wahrhaftig universellen Sprache anzusehen sind. Nun könnte man z. B. die Reihe der natürlichen Zahlen 1, 2, 3, 4, 5, 6, 7, 8, 9, 10, 11, 12, 13, 14 usw. in einfachsten Pulsen (ein Puls, Pause, zwei Pulse, Pause, drei Pulse, Pause usw.) senden. Diese Folge ist aber wenig originell und einer außerirdischen Intelligenz (und Sagans) nicht würdig. Im Roman wird daher eine andere Zahlenreihe zur ersten Kontaktaufnahme gewählt, nämlich

$$2, 3, 5, 7, 11, 13, 17, 19, 23, 29, 31, 37, 41, 43, 47, 53, 59, 61, 67, \ldots$$

Diese Reihe mag auf den ersten Blick als Reihe von Zufallszahlen erscheinen und somit noch ungeeigneter für eine kosmische Botschaft sein als die Reihe der natürlichen Zahlen. Bei näherer Betrachtung (und mit der dazu erforderlichen mathematischen Vorbildung) erkennt man allerdings, dass Signale aus dem Weltall, die diese Zahlenreihe bilden, mit absoluter Sicherheit von einer außerirdischen Intelligenz verursacht wurden, stellt sie doch in lückenloser Reihenfolge die Primzahlen dar:

Eine natürliche Zahl p größer als 1 heißt Primzahl, wenn es keine natürlichen Zahlen m und n gibt, die beide größer als 1 sind, sodass $p = m \cdot n$ gilt. Die Primzahlen sind somit unteilbar, sodass man sie im wahrsten Sinne des Wortes als Atome bezeichnen kann. (Obwohl die Zahl 1 zweifellos auch unteilbar ist, rechnet man sie aus guten Gründen nicht zu den Primzahlen.)

Die Primzahlen spielen in der Mathematik eine dermaßen fundamentale Rolle, dass sie jeder intelligenten Spezies vertraut sein müssen, die Radiosignale empfangen kann, weil jedem technischen Knowhow zwangsläufig ein mathematisches vorangeht. Überdies weiß man, dass die Primzahlen in ihrer natürlichen Reihenfolge in gewisser Weise nicht maschinell produzierbar, jedenfalls nicht ohne Intelligenz produzierbar sind, sodass die Primzahlenreihe geradezu eine ideale intragalaktische Grußbotschaft darstellt.

1.2 Eine einfache Frage

Dass die Zahlen zentrale Objekte der Mathematik darstellen, wird niemand bestreiten, ausgenommen manche Mathematiker, die im polemischen Überschwang dem Laien kundtun wollen, Mathematik habe mit Rechnen eigentlich gar nichts zu tun. Mathematik zu betreiben vermag eben nur der kreative Mensch, irgendetwas irgendwie ausrechnen kann jeder Computer, diese modernste Version einer Rechenmaschine. Als ein Hauptziel des Buches kann die möglichst umfassende und fundierte Beantwortung der Frage

Was ist die Quadratwurzel aus zwei?

angesehen werden. Tatsächlich ist diese Frage ungleich schwieriger zu beantworten als die analoge Frage nach der berühmten, lange Zeit geheimnisumwitterten Quadratwurzel aus minus eins, auf die wir nicht eingehen werden. Auch wenn man in der Schule erfährt, dass $\sqrt{2} = 1.414213...$ gilt, hat man damit eigentlich nichts gelernt. Was bedeuten die Punkte »...« nach der 3? Wenn nach der 3 noch weitere Ziffern kommen, was durch »...« wohl symbolisiert werden soll, wie viele und welche? Wenn man lernt, dass $\sqrt{2}$ ein »unendlicher Dezimalbruch« ist, was soll das eigentlich heißen? Wie soll man mit einer Zahl rechnen, die man gar nicht aufschreiben kann, weil man mit dem Aufschreiben nie fertig wird? Wie kann es sein, dass das Quadrat eines solchen Ungetüms ein so braves und anschauliches Ding wie die Zahl 2 ist? Wenn 1.414213... aber nur ein Näherungswert der Länge der Diagonale eines Quadrats mit Seitenlänge 1 ist, was ist dann ein Näherungswert und vor allem, was ist überhaupt die Länge einer Strecke? Glauben wir – wenn überhaupt – nur deshalb zu wissen, was $\sqrt{2}$ ist, weil wir längst vergessen haben, dass wir es nie wirklich verstanden haben?

1.3 Der Hauptsatz der Zahlentheorie

Dass man ein ganzes Buch schreiben muss, um das Wesen von $\sqrt{2}$ zu erfassen, ist im »atomaren Aufbau« des Zahlbereichs begründet. Wenn wir noch ein wenig in der Analogie Atome – Primzahlen verharren, so beschreibt der Hauptsatz der Zahlentheorie diesen »atomaren Aufbau«: Jede natürliche Zahl, die größer als 1 und selbst keine Primzahl ist, kann (bis auf die Reihenfolge der Faktoren) eindeutig als Produkt von Primzahlen dargestellt werden.

So gilt z.B. $60 = 2 \cdot 2 \cdot 3 \cdot 5$ und es lässt sich die Zahl 60 (abgesehen von Umordnungen des zweimal auftretenden Faktors 2 und der jeweils einmal auftretenden Faktoren 3 und 5) nicht anders als Produkt von Primzahlen darstellen. Zur vereinfachenden Sprechweise sieht man eine Primzahl p auch als Produkt von Primzahlen: Dieses Produkt hat nur einen einzigen Faktor, nämlich p selbst. Dann kann man den Hauptsatz der Zahlentheorie kurz und bündig formulieren:

Jede natürliche Zahl, die größer als 1 ist, kann (bis auf die Reihenfolge der Faktoren) eindeutig als Produkt von Primzahlen dargestellt werden.

Hier erkennen wir auch nebenbei, warum man die Zahl 1 nicht zu den Primzahlen rechnet. Würde man das tun, dann wäre der Hauptsatz in der obigen Formulierung falsch. Man hätte dann z.B. die verschiedenen Darstellungen $60 = 1 \cdot 2 \cdot 2 \cdot 3 \cdot 5$ und $60 = 1 \cdot 1 \cdot 2 \cdot 2 \cdot 3 \cdot 5$ und $60 = 1 \cdot 1 \cdot 1 \cdot 2 \cdot 2 \cdot 3 \cdot 5$ usw. Es ist einfach unpraktisch, die Zahl 1 zu den Primzahlen zu rechnen, da man dann nicht kurz von den Primzahlen, sondern andauernd und umständlich von den von 1 verschiedenen Primzahlen sprechen müsste.

Der Hauptsatz der Zahlentheorie ist von eminenter Bedeutung für die Mathematik. Wir werden einen **Beweis des Hauptsatzes** in den Vertiefungen nachreichen, an dieser Stelle aber bereits mit einem kleinen gedanklichen Ausflug demonstrieren, dass der Lehrsatz alles andere als selbstverständlich ist, ja geradezu den Charakter eines Wunders hat. Wir lassen alle ungeraden Zahlen beiseite und betrachten statt der natürlichen Zahlenreihe die Reihe 2, 4, 6, 8, 10, 12, 14, 16, 18, 20, 22, 24, 26, 28, 30, 32, 34, 36, 38, 40, ... der geraden Zahlen. Da sowohl die Summe als auch das Produkt zweier gerader Zahlen wieder gerade ist, kann man im Bereich der geraden Zahlen genauso rechnen wie im Bereich der natürlichen Zahlen, sodass die beiden Zahlenbereiche vom strukturellen Standpunkt aus kaum zu unterscheiden sind. Gibt es »Primzahlen« im Bereich der geraden Zahlen? Selbstverständlich! Wir brauchen ja nur die alte Definition zu übernehmen und den neuen Gegebenheiten anzupassen: Eine gerade Zahl z nennen wir eine G-Primzahl, wenn es keine geraden Zahlen m und n gibt, sodass $z = m \cdot n$ gilt. Die Reihe der G-Primzahlen lautet dann folgendermaßen: 2, 6, 10, 14, 18, 22, 26, 30, 34, 38, 42, 46, 50, 54, 58, 62, 66, 70, 74, 78, ... Denn offensichtlich ist eine G-Primzahl einfach das Doppelte einer ungeraden Zahl. und umgekehrt. Wie schaut es nun mit der Zerlegbarkeit gerader Zahlen in G-Primzahlen aus? Sind die G-Primzahlen die »Atome« in der neuen Welt der geraden Zahlen? Die Antwort lautet Ja und Nein! Tatsächlich kann man eine gerade Zahl, die keine G-Primzahl ist, stets als Produkt von G-Primzahlen schreiben. Im Gegensatz zu früher ist diese Darstellung aber selten eindeutig: Wegen $60 = 2 \cdot 30$ und $60 = 6 \cdot 10$ besitzt z. B. die Zahl 60 zwei völlig verschiedene Zerlegungen: die eine mit den G-Primzahlen 2 und 30, die andere mit den G-Primzahlen 6 und 10. Dieses Beispiel ist typisch, denn offensichtlich besitzt eine gerade Zahl, die das Vierfache des Produkts zweier von 1 verschiedener ungerader Zahlen ist, immer mindestens zwei verschiedene Zerlegungen in G-Primzahlen.

S. 108

1.4 Unendlichkeit der Primzahlen

Nun wieder zurück zu den eigentlichen Primzahlen 2, 3, 5, 7, 11, 13 usw. Wir stellen eine naheliegende Frage: Gibt es unendlich viele Primzahlen? Ist es ausgeschlossen, dass vielleicht ab einer unvorstellbar großen Zahl wie $10^{100000000}$ überhaupt keine Primzahlen in der natürlichen Zahlenreihe mehr auftreten, bis in alle Ewigkeit nicht? Kann man so eine Frage, in der der höchst faszinierende und höchst problematische Begriff des Unendlichen geradezu unverblümt (um nicht zu sagen unverschämt) auftritt, überhaupt definitiv beantworten?

Nun, auch wenn manch einer glaubt, das Unendliche gehöre in die Philosophie (oder in die Theologie), vertreten wir doch die Meinung, dass es nirgends besser aufgehoben ist als in der Mathematik. »Will man ein kurzes Schlagwort, das den lebendigen Mittelpunkt der Mathematik trifft, so darf man wohl sagen: Sie ist die Wissenschaft vom Unendlichen« (H. Weyl).

Tatsächlich kennt man gleich mehrere Beweise dafür, dass es unendlich viele Primzahlen gibt. Der erste und bekannteste Beweis stammt von Euklid, einem der berühmtesten Mathematiker des griechischen Altertums (um 300 v. Chr.). Wir geben im Folgenden einen Beweis für die Unendlichkeit der Primzahlen, der sich eng an Euklids Beweis anlehnt, denselben allerdings ein wenig vereinfacht.

Zunächst stellen wir fest, dass die Aussage *Es gibt unendlich viele Primzahlen* gleichbedeutend ist mit der Aussage *Wenn immer p irgendeine Primzahl ist, dann gibt es sicher eine Primzahl, die größer als p ist.*

Bevor wir diese Aussage allgemein beweisen, wollen wir die zentrale Beweisidee exemplarisch ausführen. Wir nehmen z. B. die Primzahl 19 und zeigen, dass es eine Primzahl größer als 19 gibt: Wir berechnen dazu die Zahl $2 \cdot 3 \cdot 5 \cdot 7 \cdot 11 \cdot 13 \cdot 17 \cdot 19 + 1 = 9699691$ und stellen fest: Die Zahl 9699691 ist durch keine der Primzahlen 2, 3, 5, 7, 11, 13,

17, 19 (das sind alle Primzahlen bis 19) teilbar. Man kann das natürlich durch Nachrechnen überprüfen. Das ist aber auch unmittelbar klar, weil bei der Division von 9699691 durch eine der Zahlen 2, 3, 5, 7, 11, 13, 17, 19 automatisch der Rest 1 bleiben muss. Die Zahl 9699691 muss andererseits – so wie jede natürliche Zahl größer als 1 – durch mindestens eine Primzahl teilbar sein. Tatsächlich gilt 9699691 = 347 · 27953 und 347 ist eine Primzahl. Die Zahl 9699691 ist also durch die Primzahl 347 teilbar. Offensichtlich ist 347 verschieden von 2, 3, 5, 7, 11, 13, 17, 19. Das kann man auch scheinbar umständlich so begründen: 347 ist verschieden von 2, 3, 5, 7, 11, 13, 17, 19, weil 347 ein Teiler von 9699691 ist, die Zahlen 2, 3, 5, 7, 11, 13, 17, 19 aber keine Teiler von 9699691 sind. Jedenfalls haben wir so in 347 eine Primzahl gefunden, die größer als 19 ist.

Der Beweis, dass es zu jeder Primzahl p sicher eine Primzahl gibt, die größer als p ist, besteht nun darin, das Zahlenbeispiel $p = 19$ zu abstrahieren, d. h. so zu verallgemeinern, dass 19 den Charakter einer »Hausnummer« bekommt, für die man genauso gut jede andere Primzahl nehmen könnte.

Es sei also p irgendeine Primzahl. Wir denken uns alle Primzahlen bis p angeschrieben und konstruieren die Zahl a als das um 1 vergrößerte Produkt dieser Zahlen. Im Falle $p = 2$ ist $a = 2 + 1 = 3$, im Falle $p = 3$ ist $a = 2 \cdot 3 + 1 = 7$, im Falle $p = 5$ ist $a = 2 \cdot 3 \cdot 5 + 1 = 31$, usw. Ist p größer als 5, so können wir suggestiv $a = (2 \cdot 3 \cdot 5 \cdot ... \cdot p) + 1$ schreiben. Wir betrachten nun die Zahl a und stellen fest: Die Zahl a ist durch keine Primzahl, die kleiner oder gleich p ist, teilbar. Denn so wie die Zahl a konstruiert ist, muss bei Division durch eine der Primzahlen $2, 3, 5, ..., p$ automatisch der Rest 1 bleiben. Als natürliche Zahl, die größer als 1 ist, muss die Zahl a aber durch irgendeine Primzahl teilbar sein. Es gibt also sicher eine Primzahl q, die ein Teiler von a ist. Wenn a selbst eine Primzahl ist (wie im Falle $p = 2$ oder $p = 3$ oder $p = 5$), so muss man $q = a$ nehmen, andernfalls ist q kleiner als a (wie im Falle $p = 19$, wo wir $q = 347$ gefunden haben). Da die Zahl a aber durch keine Primzahl, die kleiner oder gleich p ist, teilbar ist, muss diese Primzahl q größer als p sein. Wir haben somit genau das gezeigt, was wir wollten, nämlich dass es zu jeder Primzahl p sicher eine Primzahl q gibt, die größer als p ist. Es gibt also tatsächlich unendlich viele Primzahlen.

1.5 Verteilung der Primzahlen

Was lässt sich über die Verteilung der Primzahlen sagen, die zwar keine zufällige ist, aber doch einen ziemlich chaotischen Eindruck macht? Mit Ausnahme der 2 sind alle Primzahlen naturgemäß ungerade Zahlen. Unter den ungeraden Zahlen gibt es unmittelbar aufeinanderfolgende Zahlen, die Primzahlen sind, z. B. 3 und 5, 5 und 7, 11 und 13, 101 und 103. Ein in diesem Zusammenhang Jahrtausende altes und noch immer ungelöstes Problem ist, ob es unendlich viele solcher Primzahlzwillinge gibt. Bei drei unmittelbar aufeinanderfolgenden ungeraden Zahlen muss eine der Zahlen zwangsläufig durch 3 teilbar sein, sodass die Zahlen 3,5,7 die einzigen Primzahlendrillinge darstellen. Trotzdem können die Primzahlen zeitweilig relativ dicht gepackt auftreten, wie z. B. 97, 101, 103, 107, 109, 113, aber auch große Lücken aufweisen, z. B. gibt es zwischen 113 und 127 keine Primzahl. Beeindruckender: unter den 804 aufeinander folgenden Zahlen 90874329412298 bis 90874329413101 befindet sich keine einzige Primzahl! Ja die Lücken können sogar beliebig groß sein: Man kann zehntausend unmittelbar aufeinander folgende Zahlen angeben, unter denen keine einzige Primzahl auftritt. Auch eine Million, eine Milliarde, beliebig viele solcher Zahlen! Zehntausend unmittelbar aufeinander folgende Zahlen, die alle keine Primzahlen sind, kann man z. B. folgendermaßen angeben: Es sei z das Produkt aller Zahlen von 1 bis 10 001: $z = 1 \cdot 2 \cdot 3 \cdot 4 \cdot \ldots \cdot 9999 \cdot 10\,000 \cdot 10\,001$. (Die Zahl z ist zugegebenermaßen etwas groß geraten, sie hat genau 35 664 Stellen, sodass eine konkrete Angabe der Zahl z erstens mühsam und zweitens reine Platzverschwendung wäre.) Dann betrachten wir die Sequenz $z + 2, z + 3, z + 4, z + 5, ..., z + 10001$, das sind exakt 10 000 unmittelbar aufeinanderfolgende Zahlen. Da konstruktionsgemäß jede Zahl von 2 bis 10 001 in der Zahl z aufgeht, ist $z + 2$ durch 2 teilbar, $z + 3$ durch 3 teilbar, $z + 4$ durch 4 teilbar, $z + 5$ durch 5 teilbar, usw. und schließlich $z + 10001$ durch 10 001 teilbar:

$$z + 2 = 2 \cdot ((3 \cdot 4 \cdot 5 \cdot 6 \cdot 7 \cdot ... \cdot 9999 \cdot 10\,000 \cdot 10\,001) + 1)$$
$$z + 3 = 3 \cdot ((2 \cdot 4 \cdot 5 \cdot 6 \cdot 7 \cdot ... \cdot 9999 \cdot 10\,000 \cdot 10\,001) + 1)$$
$$z + 4 = 4 \cdot ((2 \cdot 3 \cdot 5 \cdot 6 \cdot 7 \cdot ... \cdot 9999 \cdot 10\,000 \cdot 10\,001) + 1)$$
$$z + 5 = 5 \cdot ((2 \cdot 3 \cdot 4 \cdot 6 \cdot 7 \cdot ... \cdot 9999 \cdot 10\,000 \cdot 10\,001) + 1)$$
$$...$$
$$z + 10\,000 = 10\,000 \cdot ((2 \cdot 3 \cdot 4 \cdot 5 \cdot 6 \cdot ... \cdot 9999 \cdot 10\,001) + 1)$$
$$z + 10\,001 = 10\,001 \cdot ((2 \cdot 3 \cdot 4 \cdot 5 \cdot 6 \cdot ... \cdot 9999 \cdot 10\,000) + 1)$$

Es kann also keine der Zahlen der angegebenen Sequenz eine Primzahl sein! (Auf analoge Weise kann man auch eine Million, eine Milliarde, beliebig viele unmittelbar aufeinander folgende Zahlen angeben, die alle keine Primzahlen sind.)

Die angegebenen Beispiele suggerieren, dass lange primzahlfreie Sequenzen in den natürlichen Zahlen erst spät, d.h. bei sehr großen Zahlen auftreten. Tatsächlich kann man etwa zeigen, dass es zwischen einer beliebigen Zahl $n > 1$ und ihrem Doppelten $2n$ stets mindestens eine Primzahl gibt. (Für kleine Zahlen z.B.: zwischen 2 und 4 liegt die Primzahl 3, zwischen 3 und 6 liegt die Primzahl 5, zwischen 4 und 8 liegen die Primzahlen 5 und 7, zwischen 5 und 10 liegt die Primzahl 7, zwischen 6 und 12 liegen die Primzahlen 7 und 11.) Dagegen ist es ein ungelöstes Problem, ob es zwischen den Quadraten von zwei unmittelbar aufeinander folgenden Zahlen (wie z.B. zwischen $1^2 = 1$ und $2^2 = 4$, zwischen $2^2 = 4$ und $3^2 = 9$, oder auch zwischen $123^2 = 15\,129$ und $124^2 = 15\,376$) stets mindestens eine Primzahl gibt.

Nun wollen wir auch noch ein quantitatives Resultat zur Verteilung der Primzahlen angeben. Mit $P(k)$ bezeichnen wir die Anzahl aller Primzahlen, die in der Zahlenfolge $1, 2, 3, \ldots, k$ auftreten. So ist z.B. $P(8) = 4$, weil in der Sequenz $1, 2, 3, 4, 5, 6, 7, 8$ genau vier Primzahlen auftreten, nämlich 2, 3, 5 und 7. Es ist $P(15) = 6$, weil in der Sequenz $1, 2, 3, \ldots, 15$ genau sechs Primzahlen auftreten, nämlich $2, 3, 5, 7, 11$ und 13. Es ist $P(100) = 25$, weil es genau 25 Primzahlen zwischen 1 und 100 gibt. Ferner gilt z.B. $P(1000) = 168$, $P(1500) = 239$ und $P(2000) = 303$. Mit Computerunterstützung kann beeindruckend z.B. $P(100\,000\,000)$ $= 5\,761\,455$ oder gar $P(10^{16}) = 279\,238\,341\,033\,925$ bestimmt werden. Naturgemäß wird eine exakte Bestimmung der Werte $P(k)$ für immer größeres k immer schwieriger. Irgendwann erreicht man zwangsläufig Regionen, in denen auch die leistungsfähigsten Computer versagen. Eine exakte Bestimmung etwa von $P(10^{100})$, der Anzahl aller Primzahlen kleiner als 10^{100}, wird technisch kaum je möglich sein, eine exakte Bestimmung von $P(10^{1000})$ ist ziemlich sicher nie möglich. Überdies sind die konkreten Werte von $P(10^{100})$, $P(10^{1000})$ auch völlig uninteressant. Was dagegen hochinteressant ist, ist eine zuverlässige Schätzung der Werte $P(k)$ für beliebig großes k, da selbige die Verteilung der Primzahlen quantifiziert. Mit tiefen Methoden, die völlig aus dem Rahmen des vorliegenden Buches fallen, kann man beweisen, dass

$$\frac{49}{113} \cdot \frac{10^n}{n} < P\left(10^n\right) < \frac{51}{101} \cdot \frac{10^n}{n}$$

für alle Zehnerpotenzen 10^n ($n = 2, 3, 4, 5, \ldots$) gilt. Eine Schätzung der Werte $P(10^{100})$ und $P(10^{1000})$ ist dann also (großzügig notiert) durch $P(10^{100}) \approx 5 \cdot 10^{97}$ und $P(10^{1000}) \approx 5 \cdot 10^{996}$ gegeben, sodass also rund 0,5 Prozent aller Zahlen zwischen 1 und 10^{100} und rund 0,05 Prozent aller Zahlen zwischen 1 und 10^{1000} Primzahlen sind. Primzahlen sind nach der Schätzung ferner rund 0,005 Prozent der Zahlen zwischen 1 und $10^{10\,000}$, rund 0,0005 Prozent der Zahlen zwischen 1 und $10^{100\,000}$, rund

0,00005 Prozent der Zahlen zwischen 1 und $10^{1000000}$, usw. Die allgemeine Schätzung der Werte $P(10^n)$ zeigt somit klar, dass und wie die prozentuelle Häufigkeit der Primzahlen in den immer länger werdenden Sequenzen $1,2,3,4,...,10^n$ ($n = 2,3,4,5...$) abnimmt.

1.6 Alles ist Zahl

Die Wissenschaft von den Zahlen wurde von Pythagoras (ca.580–500 v.Chr.) begründet. Für ihn und seine Anhänger, die eine elitäre Sekte bildeten, waren die Zahlen geradezu religiöse Kultobjekte, eingebettet in Astronomie, Architektur und Musik. »Alles ist Zahl« war der Leitspruch der Pythagoreer, womit sie postulierten, dass die ganze Welt – von den Harmonien der schwingenden Saite bis zum Lauf der Gestirne – durch Zahl und Verhältnis von Zahlen vollständig erklärt werden kann. Und Zahlen waren für die Pythagoreer, wie für alle Mathematiker des griechischen Altertums, ausschließlich natürliche Zahlen, also 1, 2, 3, 4, 5, 6, 7, usw. Mit dem Konzept des Verhältnisses zweier Zahlen versuchten die Pythagoreer ein, wie sich bald herausstellte, völlig untaugliches Prinzip des Messens aufzustellen. Anschaulich stehen die Längen zweier Strecken z.B. im Verhältnis 4:7 zueinander, wenn man eine dritte Strecke als Maßstab hernehmen kann, die viermal hintereinander gelegt die eine und siebenmal hintereinander gelegt die andere Strecke ergibt. Alternativ stehen die Längen zweier Strecken im Verhältnis 4:7 zueinander, wenn das Siebenfache der kleineren Strecke genauso lang ist wie das Vierfache der größeren Strecke. Allgemein stehen die Längen zweier Strecken in einem Verhältnis zueinander, man sagt auch: Die beiden Strecken sind kommensurabel, wenn eine geeignete Vervielfachung bzw. Teilung der einen Strecke eine Strecke ergibt, die gleichlang ist wie eine geeignete Vervielfachung bzw. Teilung der anderen Strecke. In moderner Nomenklatur geschrieben, sind zwei Strecken kommensurabel, wenn gilt: Ist a die Länge der einen Strecke und b die Länge der anderen Strecke, dann muss es eine Einheitslänge e und ein Paar natürlicher Zahlen m und n geben, sodass $a = m \cdot e$ und $b = n \cdot e$ gilt. Es gilt dann automatisch $n \cdot a = m \cdot b$. Man schreibt dann $a : b = m : n$ und sagt, dass die Längen a und b im Verhältnis $m : n$ stehen.

Die Länge einer Strecke konnte auf diese Weise immer nur als Vielfaches oder als Teil einer anderen Strecke »definiert« werden. Auf dem pythagoreischen Postulat, dass alles durch Zahl und Verhältnis von Zahlen erklärt werden könne, beruht ferner das pythagoreische Dogma *Je zwei Strecken sind kommensurabel*. In diesem Dogma steckte von Anfang an der Wurm, hatte sich doch Pythagoras selbst in guter altgriechischer Tradition in der Geometrie betätigt. Mit Pythagoras wird ja auch in erster Linie der Pythagoreische Lehrsatz assoziiert, der besagt, dass für die Seitenlängen a, b, c eines rechtwinkeligen Dreiecks, wobei die Seiten mit den Längen a und b den rechten Winkel einschließen, stets $a^2 + b^2 = c^2$ gilt. Umgekehrt gilt aber auch, dass ein Dreieck, dessen Seitenlängen a, b, c die Gleichung $a^2 + b^2 = c^2$ erfüllen, automatisch rechtwinkelig ist und die Seiten mit den Längen a und b den rechten Winkel einschließen. So ist z.B. ein Dreieck mit den Seitenlängen 3, 4, 5 rechtwinkelig, weil offensichtlich $3^2 + 4^2 = 9 + 16 = 25 = 5^2$ gilt.

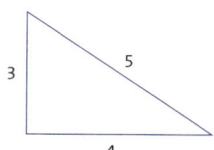

In diesem Präsentationsdreieck sind natürlich tatsächlich je zwei Strecken kommensurabel. Völlig aus dem Ruder läuft die Geschichte, wenn man rechtwinkelige Dreiecke betrachtet, die auch gleichschenkelig sind, wo also die beiden den rechten Winkel einschließenden Seiten gleich lang sind.

1.7 Das Problem der Inkommensurabilität

Nach dem Pythagoreischen Lehrsatz gilt im rechtwinkeligen Dreieck

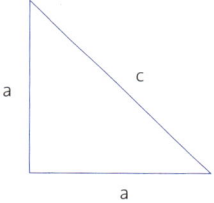

$a^2 + a^2 = c^2$, also $2 \cdot a^2 = c^2$. Wir werden nun gleich das Pythagoreische Dogma vernichten, indem wir zeigen, dass Kathete und Hypotenuse im gleichschenkelig-rechtwinkeligen Dreieck niemals kommensurabel sind, dass also die Länge a der Kathete und die Länge c der Hypotenuse kein Verhältnis haben. Wie ist das zu bewerkstelligen? Nun, zu belegen ist, dass es eben keinen Maßstab mit einer Einheitslänge e gibt, sodass sowohl $a = m \cdot e$ als auch $c = n \cdot e$ mit irgendwelchen natürlichen Zahlen m und n gilt. Das heißt aber nichts anderes, als dass es keine Maßeinheit (Millimeter, Mikrometer, was auch immer) gibt, bezüglich der die Längen a und c beide natürliche Zahlen sind. Wir werden nun einfach Folgendes zeigen: Wenn immer die Länge a der Kathete selbst eine natürliche Zahl ist, dann ist die Länge c der Hypotenuse keine natürliche Zahl. Wegen $2 \cdot a^2 = c^2$ heißt das im vom geometrischen Kontext befreiten arithmetischen Kern: Das Doppelte des Quadrats einer natürlichen Zahl ist niemals das Quadrat einer natürlichen Zahl. Für kleine Zahlen lässt sich das leicht nachprüfen: Die Quadrate der Zahlen 1, 2, 3, 4, 5, 6, 7, 8, 9, 10, 11, 12, 13, 14 usw. sind durch die Liste 1, 4, 9, 16, 25, 49, 64, 81, 100, 121, 144, 169, 196 usw. gegeben. Die Liste aller Zahlen, die das Doppelte des Quadrats einer natürlichen Zahl darstellen, lautet 2, 8, 18, 32, 50, 98, 128, 162, 200, 242, 288, 338, 392 usw. Die obige Behauptung besagt nun einfach, dass es keine Zahl gibt, die in beiden Listen auftritt. Natürlich genügt es nicht, die zwei Listen auf z. B. hundert Einträge weit zu vergleichen, festzustellen, dass die Behauptung für kleine Zahlen stimmt, und dann darauf zu vertrauen, dass die Behauptung für alle, das heißt insbesondere für unendlich viele Zahlen gilt.

In diesem Zusammenhang wollen wir ein berühmtes Beispiel anführen, das auf bündige Weise demonstriert, wie man mit der experimentellen Vorgangsweise Schiffbruch erleiden kann. Wir betrachten alle Zahlen, die sich in der Form $n^2 + n + 41$ schreiben lassen, also $43 = 1^2 + 1 + 41$, $47 = 2^2 + 2 + 41$, $53 = 3^2 + 3 + 41$, $61 = 4^2 + 4 + 41$, $71 = 5^2 + 5 + 41$ usw. Die Liste all dieser Zahlen lautet 43, 47, 53, 61, 71, 83, 97, 113, 131, 151, 173, 197, 223, 251, 281, 313, ... Bei genauerem Hinsehen fällt auf, dass in dieser Liste lauter Primzahlen auftreten. Man könnte daher verleitet sein zu glauben, dass jede Zahl der Form $n^2 + n + 41$ eine Primzahl ist. Das ist aber falsch! Tatsächlich ist z. B. die Zahl 2021 von der Form $n^2 + n + 41$, da $2021 = 44^2 + 44 + 41$ gilt, wegen $2021 = 43 \cdot 47$ ist 2021 aber keine Primzahl. Dieser kleine Exkurs zeigt also, dass man eine Behauptung über Zahlen niemals experimentell verifizieren, sondern bestenfalls durch Angabe eines Gegenbeispiels widerlegen kann. Solange eine Behauptung nicht durch ein Gegenbeispiel widerlegt oder durch einen strengen Beweis verifiziert ist, bleibt sie eine Vermutung.

Wie kann man nun tatsächlich beweisen, dass das Doppelte des Quadrats einer natürlichen Zahl niemals das Quadrat einer natürlichen Zahl sein kann? Das gelingt überraschend einfach, indem man sich auf den Hauptsatz der Zahlentheorie beruft. Die Unmöglichkeit einer Gleichung der Form $2 \cdot n^2 = m^2$ für natürliche Zahlen m und n liegt nämlich in deren Primfaktorenzerlegung begründet. Betrachtet man z. B. die Primfaktorenzerlegung $18\,375 = 3 \cdot 5 \cdot 5 \cdot 5 \cdot 7 \cdot 7 = 3 \cdot 5^3 \cdot 7^2$ und quadriert, so bekommt man $18\,375^2 = 18\,375 \cdot 18\,375 = (3 \cdot 5 \cdot 5 \cdot 5 \cdot 7 \cdot 7)$ $\cdot (3 \cdot 5 \cdot 5 \cdot 5 \cdot 7 \cdot 7) = 3 \cdot 3 \cdot 5 \cdot 5 \cdot 5 \cdot 5 \cdot 5 \cdot 5 \cdot 7 \cdot 7 \cdot 7 \cdot 7 = 3^2 \cdot 5^6 \cdot 7^4$. Die Primfaktoren 3, 5 und 7 der Zahl 18 375 treten in der Zahl 18375² in gerader Anzahl auf. Das muss aber sinngemäß für das Quadrat jeder natürlichen Zahl $k>1$ gelten: Wenn k eine Primzahl ist, dann ist k selbst die einzige Primzahl der Zerlegung $k^2=k\cdot k$ und tritt genau zweimal auf. Wenn k Produkt von Primzahlen ist, dann tritt jede dieser Primzahlen in der Zerlegung von k^2 insgesamt in einer geraden Anzahl auf. Daher ist $2\cdot n^2=m^2$ unmöglich: Denn in der Zahl m^2 tritt die Primzahl 2 in gerader Anzahl auf. (Tritt 2 gar nicht auf, dann ist die Anzahl ihres Auftretens null und somit eine gerade Zahl.) Ebenso tritt die Primzahl 2 in der Zahl n^2 in gerader Anzahl auf. In der Zahl $2\cdot n^2$ tritt die Primzahl 2 daher in ungerader Anzahl auf, da man die Primfaktorenzerlegung von $2\cdot n^2$ aus der Primfaktorenzerlegung von n^2 durch Hinzunahme des einen Primfaktors 2 gewinnt. Es kann aber keine zwei Zerlegungen einer einzigen Zahl – eben der Zahl $2\cdot n^2=m^2$ – geben, wo in der einen die 2 in gerader, in der anderen jedoch in ungerader Anzahl auftritt, denn die Eindeutigkeit der Primfaktorenzerlegung wird durch den Hauptsatz der Zahlentheorie garantiert. Hätte Pythagoras nur diesen Satz gekannt! Die Pythagoreer hatten aber das Pech, rund 200 Jahre vor Euklid ihr Dasein zu fristen.

Die Geschichte mit dem wurmstichigen Dogma der Pythagoreer hat noch eine nette Pointe, die mit dem »Wappen« der Sekte zusammenhängt. Dieses Symbol der Pythagoreer war das Pentagramm, das durch die Menschheitsgeschichte geisterte und spätestens ab dem Mittelalter als Symbol des Teufels (vgl. Goethes *Faust*) galt. Das Pentagramm ist ein gleichseitiges Fünfeck (ein sog. Pentagon), in dem die fünf Diagonalen eingezeichnet sind:

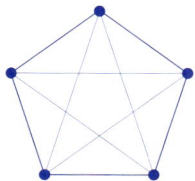

Etwas aufwendiger als beim gleichschenkelig-rechtwinkeligen Dreieck, aber mit derselben Grundidee wie dort kann man nachweisen, dass Seite und Diagonale im Pentagon nicht kommensurabel sind. Es spricht viel dafür, dass das erste Fallbeispiel inkommensurabler Strecken nicht am gleichschenkelig-rechtwinkeligen Dreieck (bzw. am Quadrat), sondern eben am Pentagramm entdeckt wurde. Die Pythagoreer hatten ausgerechnet ein Wappen gewählt, das den fundamentalen Irrtum ihrer Ideologie symbolisiert! Um die Peinlichkeit auf die Spitze zu treiben, wurde die fatale Entdeckung auch noch von einem Sektenmitglied gemacht, dem sie aber dann auch das Leben gekostet haben soll. Nach einer Legende wurde der »Ketzer« von aufgebrachten Mitbrüdern im Meer ertränkt. Obwohl die Pythagoreer nicht zimperlich waren, wenn es galt, nicht ideologiekonforme Erkenntnisse zu unterdrücken, konnten sie es letztlich nicht verhindern, dass die Existenz inkommensurabler Strecken allgemein bekannt wurde. Mit dieser Entdeckung tat sich eine tiefe Kluft auf zwischen den geometrischen Größen einerseits und den Zahlen andererseits, die trotz der großartigen Proportionenlehre des Eudoxos von Knidos (ca. 400–355 v. Chr.) erst im 19. Jahrhundert mit Hilfe der irrationalen Zahlen geschlossen werden konnte. Die Mathematiker des griechischen Altertums waren dazu außerstande. Im weiteren Verlauf verloren sie das Interesse an den Zahlen und beschäftigten sich nur noch mit Geometrie.

2 DIE NATÜRLICHEN ZAHLEN

2.1 Der sichere Hafen

In der modernen Mathematik werden die Zahlen, so wie alle mathematischen Gegenstände, entweder genetisch oder axiomatisch eingeführt. Wir werden auf die axiomatische Einführung der Zahlen zwar kurz eingehen, bedienen uns jedoch aus didaktischen Gründen der genetischen Methode. Genetisch heißt allgemein, dass die Begriffe eines Theoriegebäudes, aus denen logisch deduktiv die Theoreme abgeleitet werden, mit Hilfe als bekannt anzusehender Elementarbegriffe definiert werden. Speziell stützt sich die genetische Einführung der Zahlen auf die Elementarbegriffe der Mengenlehre. Dabei stellt sich allerdings schon die Frage, ob man ausgerechnet den Zahlbegriff, der Jahrtausende alt und als der mathematische Grundbegriff schlechthin anzusehen ist, im Rahmen der modernen Mengenlehre begründen soll. Was die natürlichen Zahlen betrifft, ist dieser Einwand durchaus berechtigt, und es gibt auch eine moderne Axiomatik (vgl. 2.4), die dem archaischen Charakter der natürlichen Zahlen angemessen ist. Anders ist die Sachlage aber bei den reellen Zahlen, die zur Begründung der Differential- und Integralrechnung – der für die Naturwissenschaften wichtigsten mathematischen Disziplin – unverzichtbar sind. Hier gibt es zwar auch eine bewährte Axiomatik, aber die genetische Vorgangsweise, bei der die reellen Zahlen mit Hilfe der Mengenlehre auf die natürlichen Zahlen zurückgeführt werden, ist viel anschaulicher. Wenn wir auch die natürlichen Zahlen im Rahmen der Mengenlehre definieren werden, so sei gleich unmissverständlich festgestellt, dass wir damit keineswegs erklären werden, was die natürlichen Zahlen sind. Wir könnten das auch gar nicht, da ohnehin jeder Versuch, die natürlichen Zahlen innerhalb der Mathematik zu definieren, zum Scheitern verurteilt ist. Die natürlichen Zahlen treten nämlich einerseits als Objekte der Mathematik auf, mit denen man rechnen kann: 1, 2, 3 usw. Andererseits stehen sie »mit einem Bein« außerhalb der Mathematik. Zunächst benötigt man sie ja bereits, um mathematische Lehrsätze zu formulieren: Die Summe von zwei ungeraden Zahlen ist stets gerade, durch drei allgemeine Punkte geht genau eine Ebene, etc. Dieses Argument gegen eine mathematische Definition erweist sich allerdings bei näherer Betrachtung als nicht zwingend. Statt von zwei Objekten A und B kann man ja auch von Objekten A und B, die verschieden sind, sprechen. Die »hybride« Natur der natürlichen Zahlen offenbart sich ganz woanders.

Es gibt nämlich eine subtile Verflechtung von Arithmetik und Logik. Diese Verflechtung hat durch die wissenschaftlichen Fortschritte im 20. Jahrhundert ungeahnte Vertiefungen erfahren, worauf näher einzugehen den Rahmen des vorliegenden Buches sprengen würde.

Trotz ihrer hybriden Natur wollen wir die natürlichen Zahlen in erster Linie als mathematische Objekte ansehen, die zu studieren sind. Es ist übersichtlich, immens praktisch und hat sich glänzend bewährt, sämtliche Objekte der Mathematik (Zahlen, Kurven, Flächen, Funktionen, Vektoren, Integrale usw.) als gewisse Mengen zu definieren, sie also im sicheren Hafen der Mengenlehre zu verankern. Diese Vorgangsweise ist ästhetisch und ökonomisch. Sämtliche mathematischen Begriffe werden auf einen einzigen, nicht weiter reduzierbaren Grundbegriff zurückgeführt, eben den der Menge. Da man bereits um die vorletzte Jahrhundertwende erkennen musste, dass ein logisch strenger Aufbau der Mengenlehre mit der genetischen Methode nicht erzielt werden kann, ist im Umgang mit dem intuitiven Mengenbegriff eine gewisse Vorsicht geboten. Deshalb pflegt man sich an einer axiomatisierten Mengentheorie zu orientieren, die logisch strengen Kriterien genügt. In der axiomatischen Mengenlehre erklärt man nicht, was Mengen sind, sondern legt mit einem Regelkatalog fest, wie man Mengen bilden kann und was man mit ihnen tun darf. Dem an Details der Axiomatik der Mengenlehre interessierten Leser sei zur Einführung die schmale, glänzend geschriebene Monographie *Naive Mengenlehre* von P. Halmos empfohlen.

Da wir für unsere Zwecke die Mengenlehre ohnedies nur in einem äußerst bescheidenen Umfang benötigen, werden wir im Einklang mit der axiomatischen Mengenlehre, aber ohne explizite Bezugnahme auf sie, mit dem intuitiven Mengenbegriff das Auslangen finden. Derselbe ist zunächst denkbar einfach: Eine Menge ist eine Kollektion von Objekten.

Gerne illustriert man den Mengenbegriff durch anschauliche Beispiele wie die »Menge aller Einwohner einer bestimmten Stadt« oder die »Menge aller Sterne in der Milchstraße«. Die Objekte aber, die man in der Mathematik zu Mengen zusammenfasst, sind durchwegs abstrakt, sie »existieren« nur in Gedanken und sind nicht Teil der physischen Welt.

Wenn ein Objekt a zu einer Kollektion A gehört, so schreiben wir $a \in A$ und sagen *a ist ein Element der Menge A* bzw. *a ist Element von A* bzw. *a liegt in A* bzw. *A enthält a*. Gleich zwei abkürzende Schreibweisen: Wenn a kein Element von A ist, also die Aussage $a \in A$ falsch ist, schreiben wir $a \notin A$. Gilt $a \in A$ und $b \in A$, so schreiben wir abkürzend $a, b \in A$.

Die Verwendung von Kleinbuchstaben für die untergeordneten Objekte und von Großbuchstaben für die übergeordneten Kollektionen erfolgt dabei aus rein didaktischen Gründen. So kann durchaus ein Objekt a, das Element einer Kollektion A ist, selbst eine Kollektion sein, die etwa ein Objekt x enthält: $x \in a$. Tatsächlich wird das ab dem nächsten Kapitel insofern zur Regel werden, als wir dann sowohl aus ökonomischen als auch aus ästhetischen Gründen ausschließlich Mengen betrachten, deren Elemente selbst Mengen sind. Da dies zweifellos gewöhnungsbedürftig ist, wollen wir die Sache behutsam angehen. Beginnen wir mit einer praktischen Schreibweise. Fasst man drei Objekte a, b, c zu einer Menge zusammen, so schreiben wir für diese Menge $\{a, b, c\}$. Die Schweifklammern »{« und »}« symbolisieren die Zusammenfassung der drei Objekte a, b und c zu einer Menge. Ein Objekt x liegt genau dann in der Menge $\{a, b, c\}$, wenn es identisch mit a oder mit b oder mit c ist.

Dabei ist hier und für den Rest des Buches mit »genau dann« wie in der Mathematik üblich eine Äquivalenzaussage abkürzend formuliert: »*A genau dann, wenn B*« heißt, dass entweder A und B beide richtig oder A und B beide falsch sind. Mit der Aussage, dass $x \in \{a, b, c\}$ genau dann gilt, wenn $x = a$ oder $x = b$ oder $x = c$ gilt, haben wir zwei Einzelaussagen in einer Aussage zusammengefasst: Erstens gilt $x \in \{a, b, c\}$, wenn $x = a$ oder $x = b$ oder $x = c$ gilt. Und zweitens gilt $x = a$ oder $x = b$ oder $x = c$, wenn $x \in \{a, b, c\}$ gilt.

Auf analoge Weise kann man vier Objekte a, b, c, d zu einer Menge $\{a,b,c,d\}$ zusammenfassen, auch fünf Objekte, sechs Objekte usw. Ferner kann man auch zwei Objekte a und b zur Menge $\{a,b\}$ zusammenfassen: Es gilt $x \in \{a,b\}$ genau dann, wenn $x = a$ oder $x = b$ gilt. Auch mit nur einem Objekt a kann man eine Menge bilden, nämlich die Menge $\{a\}$, deren einziges Element das Objekt a ist. Schließlich kann man auch mit überhaupt keinem Objekt eine Menge bilden. Diese Menge ist dadurch charakterisiert, dass überhaupt kein Objekt in ihr liegt. Naheliegenderweise nennt man diese Menge, die man suggestiv mit $\{\ \}$ bezeichnen kann, die leere Menge. Der Eigenschaft der leeren Menge, kein Element zu besitzen, eben leer zu sein, entspricht der Leerraum zwischen der linken und rechten Klammer von $\{\ \}$. Auch wenn man sich die leere Menge zur Veranschaulichung als leeren Sack vorstellen kann, sie als solchen zu bezeichnen wäre geradezu beleidigend. Man sieht es ihr auf den ersten Blick nicht an, aber die leere Menge ist die wichtigste Menge überhaupt. Sie ist in gewisser Weise das Nichts, das Alles gebiert. Um der Bedeutung der leeren Menge Nachdruck zu verleihen, werden wir auch eine Bezeichnungsweise verwenden, die in der mathematischen Literatur Standard ist. Die Bezeichnung $\{\ \}$ für die leere Menge findet man nämlich fast nur in Schulbüchern. Die übliche Bezeichnung für die leere Menge ist das Symbol $\emptyset$.

Beim Aufschreiben einer Menge kommt es auf eine etwaige Reihenfolge der Elemente nicht an. Bei der Menge $\{a,b,c\}$ ist es hübsch, aber nicht zwingend erforderlich, die Objekte a, b und c in der alphabetischen Reihenfolge anzuschreiben. So sehen wir die Menge $\{a,b,c\}$ als ununterscheidbar von der Menge $\{c,a,b\}$ an: $\{a,b,c\} = \{c,a,b\}$. Die Aussage $x \in \{a,b,c\}$ ist dieselbe wie die Aussage $x \in \{c,a,b\}$.

Hier offenbart der Mengenbegriff auch gleich eine gedankliche Zumutung. Die Zusammenfassung von Objekten zu einer Menge erfolgt stets »mit einem Schlag«. Eine Menge ist also eine Kollektion von »gleichzeitig gedachten« Objekten. Die damit verbundene

Schwierigkeit, die (speziell bei unendlichen Mengen) ein »normal« denkendes Gehirn eigentlich gar nicht bewältigen kann, wird – geradezu unverschämt – beständig ignoriert, sodass einem dieses Problem irgendwann entweder nicht mehr bewusst, oder bereits egal ist. Es erscheint einem als primäres Problem gar nicht die Bildung von Mengen durch simultane Zusammenfassung, sondern vielmehr ihre Beschreibung.

Das Anschreiben sämtlicher Elemente zwischen zwei geschweiften Klammern ist natürlich nur dann zweckmäßig (und praktisch durchführbar), wenn die zu beschreibende Menge nur wenige Elemente enthält. Bei großen Mengen kann diese aufzählende Schreibweise nur in einer weniger präzisen Variante dergestalt funktionieren, dass man gezielt Elemente weglässt und augenzwinkernd »...« einfügt. Man kann z.B. $\{1, 3, 5, ..., 9999\}$ für die Menge aller ungeraden Zahlen, die kleiner als 10 000 sind, schreiben. Bei unendlichen Mengen aber wird, mit ganz wenigen Ausnahmen, keine noch so geschickte Verwendung von »...« zuverlässig Missverständnisse ausschließen können.

Um »komplizierte« Mengen beschreiben zu können, vor allem aber um den Mengenbildungsprozess besser sichtbar zu machen, verwendet man daher meist eine andere Schreibweise, den sog. Abstraktor. Derselbe beginnt mit einer linken Schweifklammer, gefolgt von einer Variablen (oft mit x bezeichnet) und einem vertikalen Strich, dann kommt ein Freiraum und abschließend eine rechte Schweifklammer. Man schreibt also

$$\{\, x \mid \qquad \}.$$

Der Freiraum zwischen | und } wird dann mit einer mathematischen Aussage über die Variable (vorzugsweise in logischer Notation) ausgefüllt. Dadurch soll diejenige Menge beschrieben werden, die genau diejenigen Objekte a enthält, für die die zwischen | und } formulierte Aussage richtig ist, nachdem man die Variable x durch a ersetzt hat. Der Abstraktor $\{x \mid \ldots\}$ wird daher gelesen als »Menge aller x, für die ... gilt«. So z. B. ist mit dem Abstraktor $\{x \mid x$ ist eine Primzahl$\}$ die Menge aller Primzahlen definiert. Ein Objekt a ist genau dann ein Element der Menge $\{x \mid x$ ist eine Primzahl$\}$, wenn die Aussage »a ist eine Primzahl« richtig ist. Es gilt also z. B. $7 \in \{x \mid x$ ist eine Primzahl$\}$ und $8 \notin \{x \mid x$ ist eine Primzahl$\}$, da die Aussage »7 ist eine Primzahl« richtig und die Aussage »8 ist eine Primzahl« falsch ist.

Sehr praktisch wird die Abstraktorschreibweise, wenn man geschickt Abkürzungen verwendet. Bezeichnet man etwa die äußerst wichtige Menge $\{x \mid x$ ist eine Primzahl$\}$ mit $\mathbb{P}$, so kann man die Überlegenheit der Abstraktorschreibweise gegenüber der aufzählenden Schreibweise mit der Menge

$$\{x \mid x \in \mathbb{P} \ \text{ und } \ x > 10 \ \text{ und } \ x < 10\,000\}$$

schön demonstrieren. Es handelt sich dabei um die Menge aller x, für die Folgendes gilt: $x \in \mathbb{P}$, d. h. x ist eine Primzahl, $x > 10$, d. h. x ist größer als 10, und $x < 10\,000$, d. h. x ist kleiner als 10 000. Diese Menge enthält somit genau die Primzahlen zwischen 10 und 10 000 und wäre in der aufzählenden Schreibweise, da man nicht gut $\{11, 13, 17, \ldots, 9949, 9967, 9973\}$ schreiben kann, nur komplett mit einer lückenlosen Angabe aller ihrer insgesamt immerhin 1225 Elemente präzise dargestellt, womit dann aber auch die Konstruktion dieser Menge undurchsichtig würde.

Da wir das logische UND im Abstraktor sehr oft verwenden werden, wollen wir auch das dafür übliche Symbol $\wedge$ verwenden. Die obige Menge wird damit eleganter durch

$$\{x \mid x \in \mathbb{P} \ \wedge \ x > 10 \ \wedge \ x < 10\,000\}$$

beschrieben. Man kann dafür auch noch kürzer

$\{x \in \mathbb{P} \mid x > 10 \ \wedge \ x < 10\,000\,\}$

schreiben, also den so genannten *eingeschränkten Abstraktor* verwenden. (Lies: *Menge aller $x \in \mathbb{P}$, für die $x > 10$ und $x < 10\,000$ gilt.*) Allgemein werden mit dem eingeschränkten Abstraktor aus einer fest vorgegebenen Menge diejenigen Elemente ausgesondert und zu einer (in der Regel) neuen Menge zusammengefasst, für die die zwischen | und } formulierte Aussage richtig ist. Die dann gebildete Menge ist eine *Teilmenge* der ursprünglichen Menge. Dabei heißt eine Menge A eine Teilmenge einer Menge B, wenn jedes Element von A auch ein Element von B ist. So ist im vorigen Beispiel die Menge $\{x \in \mathbb{P} \mid x > 10 \ \wedge \ x < 10\,000\}$ eine Teilmenge von $\mathbb{P}$: *Jedes Element der Menge $\{x \in \mathbb{P} \mid x > 10 \ \wedge \ x < 10\,000\}$ ist ein Element der Menge $\mathbb{P}$*, ist ja die Aussage »Jede zwischen 10 und 10 000 liegende Primzahl ist eine Primzahl« – und das ist zweifellos richtig.

Eine sehr nützliche Variante der Abstraktorschreibweise, die auch wir gelegentlich einsetzen werden, ist die Verwendung von Termen. Dazu gleich ein Beispiel. Wir betrachten die natürlichen Zahlen, die größer als 5 sind und stellen fest: $6 = 2 + 2 + 2$ und $7 = 2 + 2 + 3$ und $8 = 2 + 3 + 3$ und $9 = 2 + 2 + 5 = 3 + 3 + 3$ und $10 = 2 + 3 + 5$ und $11 = 2 + 2 + 7 = 3 + 3 + 5$ und $12 = 2 + 3 + 7 = 2 + 5 + 5$. Man kann diese Zahlen alle (auf eine oder auch auf mehrere Weisen) als Summe dreier Primzahlen darstellen. Das gilt auch für größere Zahlen, wie z.B. $111 = 13 + 19 + 79 = 13 + 37 + 61$ und $1103 = 3 + 103 + 997 = 103 + 491 + 509$ und $11103 = 113 + 1103 + 9887 = 1103 + 3527 + 6473$. Wir bilden nun die Menge

$\{a + b + c \mid a \in \mathbb{P} \ \wedge \ b \in \mathbb{P} \ \wedge \ c \in \mathbb{P}\,\}$,

d.h. die Menge aller Ausdrücke (Terme) $a + b + c$, wo a ein Element der Menge $\mathbb{P}$ ist und b ein Element der Menge $\mathbb{P}$ ist und c ein Element der Menge $\mathbb{P}$ ist. Für diese Menge kann man auch einfacher

$\{a + b + c \mid a, b, c \in \mathbb{P}\}$ schreiben. Diese Menge enthält also genau die natürlichen Zahlen, die sich als Summe dreier Primzahlen darstellen lassen. Nach den vorigen Rechnungen enthält die Menge jedenfalls die Zahlen 6, 7, 8, 9, 10, 11, 12 sowie 111, 1103 und 11103. Da auch mit aufwendigsten Computeruntersuchungen bis zum heutigen Tage keine Zahl größer als 5 gefunden werden konnte, die nicht in der Menge $\{a + b + c \mid a, b, c \in \mathbb{P}\}$ liegt, ist es möglich, dass diese Menge alle natürlichen Zahlen, die größer als 5 sind, enthält. Das ist aber reine Spekulation! Wir wissen einfach nicht, wie die Menge in ihrer Gesamtheit wirklich aussieht, ja wir wissen nicht einmal, ob eine sehr große Zahl wie etwa $10^{1000000}$ in ihr liegt. Man hat es dabei mit einem der berühmtesten Probleme der Mathematik zu tun, das 1742 von Christian Goldbach formuliert und trotz enormer Anstrengungen bis zum heutigen Tag nicht gelöst werden konnte.

Auch wenn man die Menge $\{a + b + c \mid a, b, c \in \mathbb{P}\}$ bis heute nicht wirklich »kennt«, hat es Sinn, mit ihr zu arbeiten, sie zu analysieren. Sei es auch nur, um im Bemühen, das Goldbach'sche Problem zu lösen, gewisse Teilresultate kurz und bündig zu formulieren. So konnten zum Beispiel im Jahre 1923 Hardy und Littlewood beweisen, dass jede hinreichend große ungerade Zahl sich als Summe dreier Primzahlen schreiben lässt. Um dieses fantastische Resultat wenigstens rudimentär würdigen zu können, bedenke man, dass – wie in 1.5 erwähnt – große Primzahlen immer seltener auftreten. Ist eine Zahl x als Summe dreier Zahlen dargestellt, so können nicht alle drei Summanden kleiner als ein Drittel von x sein. Will man also eine riesengroße Zahl x als Summe dreier Primzahlen darstellen, so muss wenigstens eine der drei Primzahlen selbst riesengroß sein. Da große Primzahlen dünn gesät sind, grenzt es an ein Wunder, dass eine riesengroße ungerade Zahl trotzdem stets als Summe dreier Primzahlen dargestellt werden kann. Dieses mit tiefliegenden Methoden erzielte Resultat kann man mengentheoretisch präzise folgendermaßen beschreiben. Es sei $\mathbb{U}$ die Menge aller ungeraden Zahlen, also

$\mathbb{U} = \{1, 3, 5, 7, 9, 11, 13, 15, 17, ...\}$. Das Resultat von Hardy und Littlewood lautet dann:

Es gibt eine natürliche Zahl N, sodass $\{x \mid x \in \mathbb{U} \land x > N\}$ eine Teilmenge von $\{a + b + c \mid a, b, c \in \mathbb{P}\}$ ist.

Hardy und Littlewood konnten also nachweisen, dass jede ungerade Zahl, die größer als N ist, garantiert als Summe dreier Primzahlen dargestellt werden kann. Über die Schranke N konnten Hardy und Littlewood nicht mehr herausfinden, als dass es sie gibt. Inzwischen weiß man, dass mit $N = 10^{1347}$ eine konkrete Schranke angegeben werden kann, aber vermutlich findet man bereits mit einer deutlich kleineren Schranke das Auslangen. Da man keine Zahl größer als 5 kennt, die sich nicht als Summe dreier Primzahlen schreiben lässt, ist es möglich, dass das Resultat von Hardy und Littlewood für $N = 5$ gilt, also dass bereits $\{x \mid x \in \mathbb{U} \land x > 5\}$ eine Teilmenge von $\{a + b + c \mid a, b, c \in \mathbb{P}\}$ ist. Momentan sieht es aber so aus, als ob man das nie erfahren wird.

Wir ziehen das Resümee, dass man mit dem Abstraktor Mengen bilden kann, die man vielleicht nicht genau kennt, nicht überschauen kann, die man aber mehr oder weniger erfolgreich erforschen kann. Letztlich kann man den Abstraktor als eine Kurzschreibweise ansehen, mit der man mathematische Probleme präzise formulieren kann.

2.2 Eins, zwei, drei, vier, fünf

Wenn wir im vorigen Kapitel diverse Mengen betrachtet haben, so war dies bloß eine Vorwegnahme zur Illustration der Abstraktorschreibweise. Die einzige Menge, die wir im Moment als bekannt ansehen, ist die leere Menge, die wir vorerst wieder mit { } bezeichnen wollen. Mit ihrer Hilfe können wir aber sofort eine weitere Menge bilden, nämlich die Menge { { } }. Diese Menge besitzt genau ein Element, nämlich { }. Mit den beiden Mengen { } und { { } } können wir eine dritte Menge bilden, nämlich { { }, { { } } }. In dieser Menge liegen genau zwei Objekte, nämlich die leere Menge und die Menge { { } }. Die Menge { { }, { { } } } wirkt etwas anschaulicher, lässt sich einfacher anschreiben, wenn wir für die leere Menge nicht das Symbol { }, sondern das Standardsymbol ∅ verwenden. Die Menge { { }, { { } } } ist dann gleich { ∅, { ∅ } }. Wir hätten natürlich bereits { ∅ } statt { { } } schreiben können. Auf diese Weise fortfahrend, können wir beliebig viele, von ∅ verschiedene Mengen bilden, von denen wir die ersten fünf anschreiben:

$$\{\emptyset\}$$
$$\{\emptyset,\{\emptyset\}\}$$
$$\{\emptyset,\{\emptyset\},\{\emptyset,\{\emptyset\}\}\}$$
$$\{\emptyset,\{\emptyset\},\{\emptyset,\{\emptyset\}\},\{\emptyset,\{\emptyset\},\{\emptyset,\{\emptyset\}\}\}\}$$
$$\{\emptyset,\{\emptyset\},\{\emptyset,\{\emptyset\}\},\{\emptyset,\{\emptyset\},\{\emptyset,\{\emptyset\}\}\},\{\emptyset,\{\emptyset\},\{\emptyset,\{\emptyset\}\},\{\emptyset,\{\emptyset\}\}\}\}$$

Naheliegende Frage: Was nützen einem diese Mengen, wozu sind sie gut? Nun, diese fünf Mengen sind die fünf Zahlen 1, 2, 3, 4, 5! Offensichtlich liegt genau ein Element in der ersten Menge, liegen genau zwei in der zweiten, drei in der dritten, vier in der vierten und fünf in der fünften. Die Mengen dieser Bauweise stellen die idealen Modellmengen zur Definition der natürlichen Zahlen dar. Wir definieren also die Zahlen 1, 2, 3, 4, 5 durch die eben angeschriebenen Mengen. Offensichtlich gilt:

$$1 = \{\emptyset\}$$
$$2 = \{\emptyset,\{\emptyset\}\}=\{\emptyset,1\}$$
$$3 = \{\emptyset,\{\emptyset\},\{\emptyset,\{\emptyset\}\}\}=\{\emptyset,1,2\}$$
$$4 = \{\emptyset,\{\emptyset\},\{\emptyset,\{\emptyset\}\},\{\emptyset,\{\emptyset\},\{\emptyset,\{\emptyset\}\}\}\}=\{\emptyset,1,2,3\}$$
$$5 = \{\emptyset,\{\emptyset\},\{\emptyset,\{\emptyset\}\},\{\emptyset,\{\emptyset\},\{\emptyset,\{\emptyset\}\}\},\{\emptyset,\{\emptyset\},\{\emptyset,\{\emptyset\}\},\{\emptyset,\{\emptyset\}\}\}\}$$
$$= \{\emptyset,1,2,3,4\}$$

Mit dieser Kurzschreibweise ist es ein Leichtes, fortzufahren:

$6 = \{ \emptyset, 1, 2, 3, 4, 5 \}$
$7 = \{ \emptyset, 1, 2, 3, 4, 5, 6 \}$
$8 = \{ \emptyset, 1, 2, 3, 4, 5, 6, 7 \}$
$9 = \{ \emptyset, 1, 2, 3, 4, 5, 6, 7, 8 \}$
$10 = \{ \emptyset, 1, 2, 3, 4, 5, 6, 7, 8, 9 \}$

Diese äußerst raffinierte Definition geht auf John von Neumann (1903–1957) zurück, der sie im Jahre 1923 gegeben hat. Später wandte sich von Neumann ganz anderen Dingen zu: Er führte die so genannte Spieltheorie in den Wirtschaftswissenschaften ein und war maßgeblich an der Entwicklung sowohl der ersten Atombombe als auch der ersten Computer beteiligt. In gewisser Weise wurde die von Neumann'sche Definition der natürlichen Zahlen bereits von Schopenhauer vorweggenommen: *Jede Zahl setzt die vorhergehenden als Gründe ihres Seins voraus. Zur zehn kann ich nur gelangen durch alle vorhergehenden.*

Der kardinale Aspekt der Definition der natürlichen Zahlen ist evident: 7 ist eine Menge, die genau sieben Elemente enthält, die Anzahl der Elemente der Menge 7 ist sieben. 10 ist eine Menge, die genau zehn Elemente enthält, 100 ist als eine Menge definiert, die genau hundert Elemente enthält. Zugegebenermaßen ist es praktisch unmöglich, die Zahl 100 als Menge aufzählend niederzuschreiben: Man müsste dazu 633 825 300 114 114 700 748 351 602 688 Symbole $\emptyset$ und genausoviele linke und rechte Schweifklammern in der richtigen Weise anschreiben. (Die Anzahl der benötigten Kommata ist um eins kleiner.) Aber mit solchen Problemen ist man in der Mathematik oft konfrontiert. Dafür gibt es eben die abkürzenden Schreibweisen. Die Zahl 1 000 000 000 kann man ja praktisch auch nicht mit einer Milliarde Strichen notieren. Das Wesentliche bei der von Neumann'schen Definition der natürlichen Zahlen ist, dass jede natürliche Zahl n korrekt als eine Menge definiert ist, die genau n Elemente enthält.

An dieser Stelle ein Wort zur Zahl 0. Dem Zahlentheoretiker gilt die Zahl 0 nicht als natürliche Zahl. Andere Mathematiker wiederum sehen in der Null die einfachste aller Zahlen und rechnen sie sehr wohl zu den natürlichen Zahlen. Über die Frage, ob 0 eine natürliche Zahl ist oder nicht, wird unter Mathematikern gelegentlich genauso gerne gestritten wie unter Laien, ob die Zahl 1 Primzahl ist oder nicht. Inzwischen hat sich auch die Bürokratie in diese Frage eingemischt und normativ festgelegt, dass 0 eine natürliche Zahl ist. Da dies für den Aufbau des Zahlbereiches durchaus von Vorteil ist, wollen auch wir die Null als natürliche Zahl ansehen und hiermit eine Definition der Zahl 0 nachtragen. Welche Definition ist da die geeignetste? Nun, wenn eine natürliche Zahl n als Modellmenge mit genau n Elementen definiert sein soll, dann gibt es nur eine einzige Möglichkeit: 0 ist die leere Menge! Die leere Menge ist die einzige Menge, die genau null Elemente enthält. Wir definieren also: $0 = \emptyset$. Damit sind die natürlichen Zahlen rekursiv mit Startpunkt bei 0 definiert: $0 = \{\}$, $1 = \{0\}$, $2 = \{0, 1\}$, $3 = \{0, 1, 2\}$, $4 = \{0, 1, 2, 3\}$, $5 = \{0, 1, 2, 3, 4\}$ usw.

Die Definition der natürlichen Zahlen als Mengen mag auf den ersten Blick artifiziell scheinen. Sie ist aber doch eine durchaus pragmatische. In der klassischen Physik wurde ein Meter als Länge des berühmten Pariser Platin-Iridium-Stabes, des Urmeters, definiert. Eine Holzlatte ist genau dann einen Meter lang, wenn sie genauso lang wie der Urmeterstab ist. In gewisser Weise *ist* ein Meter der Urmeterstab. Eine Kollektion K enthält genau dann drei Objekte, wenn K genauso »groß« wie die Menge $\{\emptyset, \{\emptyset\}, \{\emptyset, \{\emptyset\}\}\}$ ist. Die Menge $\{\emptyset, \{\emptyset\}, \{\emptyset, \{\emptyset\}\}\}$ ist das Modell der Anzahl 3. Ob die Anzahl der Elemente einer x-beliebigen Kollektion K gleich 3 ist, lässt sich auf einfache Weise durch Vergleich von K mit der Menge $\{\emptyset, \{\emptyset\}, \{\emptyset, \{\emptyset\}\}\}$ feststellen. Die Menge $\{\emptyset, \{\emptyset\}, \{\emptyset, \{\emptyset\}\}\}$ *ist* die Zahl 3. Natürlich würde das Spiel genauso funktionieren, wenn man irgendeine andere Menge mit genau drei Elementen als Modell der Zahl 3 nehmen würde. Wenn aber dann ferner jede natürliche Zahl n willkürlich als irgendeine Modellmenge mit n Elementen definiert ist, kann man nicht erwarten, dann noch einen Bezug zwischen den Zahlen vorzufinden. Genau das ist aber die Stärke der von Neumann'schen Definition. Sie nimmt in erster Linie auf den ordinalen Aspekt der natürlichen Zahlen Rücksicht, der dem kardinalen Aspekt vorangeht. Dem kardinalen Aspekt trägt die Definition gewissermaßen nebenbei Rechnung.

Im Grunde genommen ist der kardinale Aspekt ohnehin eine Chimäre, bestenfalls bei kleinen Anzahlen wie einem Sechserpack Bier etwas Reales. Wie stellt man denn nämlich fest, dass eine konkrete Kollektion z. B. genau einhundertdreiundsechzig Objekte enthält? Schaut man sie so lange an, bis man vom Strahl der Einsicht geblendet die Zahl 163 vor dem geistigen Auge aufblinken sieht? Tatsächlich gibt es gar keine andere Möglichkeit, die Anzahl 163 zu ermitteln, als dass man die Objekte der Kollektion, wenn schon nicht der Reihe nach, so wenigstens nach einem geordneten Schema abzählt. Auch wenn man dabei zeitsparende Tricks wie Zehnergruppierungen, Rechteckschemata, arithmetische Hilfsmittel usw. einbauen kann, die den ordinalen Aspekt der Anzahlermittlung mehr oder weniger geschickt verschleiern, letztlich kann eine Anzahl nur durch eine Form des Zählens ermittelt werden. Und Zählen bedeutet automatisch auch Ordnen!

In diesem Zusammenhang enthält die von Neumann'sche Definition der natürlichen Zahlen noch ein fabelhaftes Detail, das ungeheuer nützlich ist: Die Ordnung ergibt sich aus der Elementbeziehung! Tatsächlich gilt ja, wie man mit einem Blick auf die vorigen Definitionen nachvollziehen kann, $2 \in 4$, auch $3 \in 7$ und $5 \in 10$. Allgemein ist eine natürliche Zahl n genau dann kleiner als eine natürliche Zahl m, wenn n ein Element von m ist. Damit erspart man sich die übliche arithmetische Definition der Ordnung »<«, die folgendermaßen lautet: Für natürliche Zahlen n und m gilt $n < m$ genau dann, wenn es eine von 0 verschiedene natürliche Zahl k gibt, sodass $n + k = m$

gilt. Zugegeben, diese Definition der Ordnung ist durchaus verkraftbar. Mit der von Neumann'schen Definition der Zahlen können wir jedoch kurz und bündig feststellen: Genau dann gilt $n < m$, wenn $n \in m$ gilt!

Auch wenn wir meinen, dass die von Neumann'sche Definition der natürlichen Zahlen an Einfachheit und Ästhetik unübertrefflich ist, wollen wir nicht verschweigen, dass dieselbe nicht bei jedermann Stürme der Begeisterung hervorruft. Manch einer sieht in dieser Definition das Mysterium der Zahlen beschmutzt. Was immer das Mysterium der Zahlen auch ist, wir geben zu, an ein solches zu glauben – es liegt jedenfalls in der Arithmetik der Zahlen. Wir stimmen mit den Kritikern der von Neumann'schen Definition durchaus überein, dass es nicht im Wesen der Zahl 3 liegt, eine Menge zu sein, die ein Element (ja sogar eine Teilmenge) der Zahl 5 ist. Wir sehen das hingegen als einen nicht störenden, durchaus praktischen Nebeneffekt, den wir des öfteren ausnützen werden, um lästigen Schwierigkeiten rein technischer Natur auszuweichen.

2.3 Und so weiter

Im vorigen Kapitel haben wir die natürlichen Zahlen schrittweise definiert. Ausgehend von 0 als der leeren Menge erzeugten wir als gewisse Mengen sukzessive die Zahl 1, die Zahl 2, die Zahl 3, die Zahl 4 *und so weiter.* Unbedingt einer Präzisierung bedarf das und so weiter. Auch wenn wir unsere gesamte Lebenszeit in den Dienst der Erzeugung natürlicher Zahlen stellen, wir werden immer nur endlich viele Zahlen definieren, sozusagen »hinschreiben« können. Trotzdem glauben wir, dass es unendlich viele Zahlen gibt. Jeder Zahl folgt eine weitere, ohne Ende. Unsere Vorstellung vom Unendlichen, diesem abstraktesten unter allen abstrakten Begriffen, ist vage. Man könnte als Paraphrase auf eine Zeile aus Büchners *Woyzeck* sagen: Das Unendliche ist ein Abgrund, es schwindelt Einem, wenn man hinunterschaut. In seiner 1926 erschienenen Abhandlung *Über das Unendliche* schreibt David Hilbert: »Das Unendliche hat wie keine andere Frage von jeher so tief das Gemüt der Menschen bewegt; das Unendliche hat wie kaum eine andere Idee auf den Verstand so anregend und fruchtbar gewirkt; das Unendliche ist aber auch wie kein anderer Begriff so der Aufklärung bedürftig.« Diese Aufklärung zu leisten, ist zentrales Thema der Mengenlehre, einer Disziplin, die den seltenen Fall einer bahnbrechenden wissenschaftlichen Einzelleistung darstellt, vergleichbar der Darwin'schen Evolutionstheorie oder der Einstein'schen Relativitätstheorie.

Als Geburtstag der Mengenlehre kann der 7. Dezember 1873 angesehen werden, an dem ihr Schöpfer Georg Cantor (1845–1918) seinen unsterblichen Beweis der **Überabzählbarkeit des Kontinuums** ausführte. Wir werden in den Vertiefungen darauf ausführlich eingehen, an dieser Stelle aber doch kurz andeuten, worum es geht. Ausgangspunkt von Cantors Überlegungen war eine Paradoxie des Unendlichen, die bereits im Jahre 1638 Galilei aufgefallen war. Galilei stellte die Frage, wie viele Quadratzahlen es gibt. (Quadratzahlen sind einfach die Quadrate natürlicher Zahlen, also 0, 1, 4, 9, 16, 25, 36, 49 usw.) Er stellte fest, dass es genauso viele Quadratzahlen wie Quadratwurzeln gibt, da jedes Quadrat eine Wurzel und jede Wurzel ihr Quadrat hat. Nun tritt aber jede natürliche Zahl als Quadratwurzel einer natürlichen Zahl auf: 0, 1, 2, 3, 4, 5, 6, 7 usw. sind die Quadratwurzeln von 0, 1, 4, 9, 16, 25, 36, 49 usw. Galilei kam zu dem Schluss, dass es genauso viele Quadratzahlen wie natürliche Zahlen gibt. Da ihm dies paradox schien, unvereinbar mit dem Prinzip *Der Teil ist kleiner als das Ganze*, zog er die Lehre daraus und meinte, man könne bei zwei unendlichen Mengen nicht davon sprechen, dass eine Menge »mehr« Elemente als die andere enthält oder dass beide Mengen »gleichviel« Elemente enthalten. Cantor erkannte als Erster, dass es sehr wohl Sinn macht, auch unendliche Mengen ihrer Größe nach zu vergleichen. Nur verhalten sich unendliche Mengen eben völlig anders als endliche Men-

S.119

gen! Das Prinzip, dass der Teil kleiner als das Ganze ist, stellt eine Erfahrungstatsache aus unserer endlichen Welt dar und gilt nicht im Reich der unendlichen Mengen. Auch wenn die Quadratzahlen nur einen scheinbar kleinen Teil aller natürlichen Zahlen bilden, gibt es in präzisem Sinne genauso viele Quadratzahlen wie natürliche Zahlen. Cantor erkannte aber auch, dass das Unendliche kein grauer Einheitsbrei ist, dass unendliche Mengen keineswegs stets gleich groß, weil eben unendlich, sind. Vielmehr besitzt das Unendliche eine hierarchische Struktur. Eine unendliche Menge kann in präzisem Sinne größer als eine andere unendliche Menge sein. Es gibt eine niedere »Unendlichkeit« und eine höhere, eine noch höhere usw. Letztlich gibt es unendlich viele »Unendlichkeiten«.

Dass Cantors Ideen keine Hirngespinste ohne praktischen Nutzen für die Mathematik sind, demonstriert gerade sein Beweis der Überabzählbarkeit des Kontinuums. Ein klassisches Problem der Mathematik ist die berühmte Quadratur des Kreises. Die Lösung dieses Problems steht in engem Zusammenhang mit der Frage, ob die Kreiszahl π algebraisch oder transzendent ist. Jede reelle Zahl ist entweder algebraisch oder transzendent, sodass man damit zwei Arten reeller Zahlen unterscheidet. Mit einer Erklärung dieser Begriffe wollen wir uns nicht aufhalten, da die Pointe auch so verständlich sein wird. Lange Zeit war es völlig unklar, ob es unter den unendlich vielen reellen Zahlen überhaupt eine einzige transzendente Zahl gibt, ob nicht vielleicht gar alle reellen Zahlen algebraisch sind. Erstmals im Jahre 1844 konnte Joseph Liouville die Existenz gewisser transzendenter Zahlen nachweisen, aber erst 1882 gelang es (nach wesentlichen Vorarbeiten von Charles Hermite) Carl Louis Ferdinand von Lindemann, die Transzendenz der Kreiszahl π und damit die Unmöglichkeit der Quadratur des Kreises zu beweisen. Cantor konnte dagegen mit einem erstaunlich kurzen und einfachen, aber genialen Beweis zeigen, dass die unendliche Menge der algebraischen Zahlen nur eine winzig kleine Teilmenge der Menge aller reellen Zahlen bildet. Obwohl man fast nur algebraische Zahlen kennt, bilden dieselben eine verschwindende Minorität unter den reellen Zahlen. In einem präzisen Sinn sind fast alle reellen Zahlen transzendent!

In weiterer Folge studierte Cantor die Struktur des Unendlichen genauer und entwickelte dabei seine Theorie der **transfiniten Zahlen**, die Hilbert als »die bewundernswerteste Blüte mathematischen Geistes und überhaupt eine der höchsten Leistungen rein verstandesmäßiger menschlicher Tätigkeit« bezeichnete.

Nach diesem hymnischen Intermezzo wenden wir uns wieder den natürlichen Zahlen zu, von denen wir zwar beliebig viele definieren können, aber schließlich alle definieren wollen. Wie kann man das bewerkstelligen? Nun, üblicherweise geht man so vor: Man konstruiert auf raffinierte Weise eine unendliche Menge $\mathbb{N}$ dergestalt, dass ein Objekt a genau dann ein Element von $\mathbb{N}$ ist, wenn a eine natürliche Zahl in der von Neumann'schen Definition ist. Damit sind alle natürlichen Zahlen als von Neumann'sche Modellmengen »mit einem Schlag« definiert und die Menge $\mathbb{N}$ ist die Menge aller natürlichen Zahlen. Diese Vorgehensweise ist zwar sehr elegant, aber didaktisch ein wenig fragwürdig. Da das dazu erforderliche mengentheoretische Instrumentarium außerdem den bescheidenen Umfang dieses Buches sprengen würde, werden wir darauf nicht näher eingehen, sondern einen anderen Weg beschreiten. Zuvor noch ein kurzer mengentheoretischer Exkurs.

Wir haben schon mehrmals den wichtigen Begriff Teilmenge verwendet, sodass es höchste Zeit ist, eine abkürzende Schreibweise dafür einzuführen.

Wir schreiben $A \subset B$ genau dann, wenn die Menge A eine Teilmenge der Menge B ist.

Definitionsgemäß gilt also $A \subset B$ genau dann, wenn jedes Element von A ein Element von B ist. So gilt z. B. $\{3,5,9\} \subset \{2, 3, 4, 5, 6, 8, 9\}$ und

$\{7\} \subset \{1, 7\}$. Wegen $3 = \{0, 1, 2\}$ und $5 = \{0, 1, 2, 3, 4\}$ gilt $3 \subset 5$ sowie $\{3\} \subset 5$, weil $3 \in 5$ gilt. Ferner hat man $\{2,3,5\} \subset \mathbb{P}$, eine praktische Kurzschreibweise für die Aussage, dass 2, 3 und 5 Primzahlen sind. Mit Hilfe der Teilmengenbeziehung lässt sich ein sehr nützliches Kriterium für den Nachweis der Gleichheit zweier Mengen formulieren.

Für Mengen A, B gilt $A = B$ genau dann, wenn sowohl $A \subset B$ als auch $B \subset A$ gilt.

Im Zusammenhang mit dem Begriff Teilmenge ist ferner erwähnenswert:

1. Jede Menge A ist Teilmenge von sich selbst: $A \subset A$.

2. Die leere Menge ist Teilmenge jeder beliebigen Menge: $\emptyset \subset A$.

Der erste Satz folgt für $A = \emptyset$ aus dem zweiten und ist für jede Menge $A \neq \emptyset$ offensichtlich: Jedes Element von A ist ein Element von A. Mit dem zweiten Satz ist die Geschichte heikler, da eine Eigenheit der Logik ins Spiel kommt, die ein gewöhnungsbedürftiges Argument nach sich zieht. Wenn immer $\mathcal{A}$ eine (potentiell sinnvolle) Aussage ist, so gilt entweder $\mathcal{A}$ oder das Gegenteil von $\mathcal{A}$. Das ist das logische Prinzip *tertium non datur*. Stets ist $\mathcal{A}$ entweder richtig oder falsch. Wenn das Gegenteil von $\mathcal{A}$ falsch ist, dann ist $\mathcal{A}$ richtig. Um die Richtigkeit der Aussage $\emptyset \subset A$ nachzuweisen, zeigen wir nun, dass ihr Gegenteil falsch ist. Das Gegenteil der Aussage $\emptyset \subset A$, d.h. der Aussage *Jedes Element von $\emptyset$ liegt in A* lautet: *Es gibt ein Element in $\emptyset$, das nicht in A liegt*. Und das muss falsch sein! Es gibt ja überhaupt kein Element in $\emptyset$, denn $\emptyset$ ist ja die leere Menge. Insbesondere gibt es kein Element in $\emptyset$, das nicht in A liegt. Das Gegenteil der Aussage $\emptyset \subset A$ ist somit tatsächlich für jede Menge A falsch. Ergo ist die Aussage $\emptyset \subset A$ für jede Menge A richtig.

Im Übrigen wäre es äußerst lästig, wenn $\emptyset \subset A$ nicht allgemein gültig wäre. Wie wir festgestellt haben, wird mit dem eingeschränkten Abstraktor stets eine Teilmenge der Ausgangsmenge beschrieben. Das ist aber nur dann aufrechtzuerhalten, wenn $\emptyset \subset A$ allgemein gültig ist. Wir illustrieren dies anhand des berühmten mathematischen Problems, das von Fermat im Jahre 1637 gestellt wurde und dessen Lösung im Jahre 1993 weltweit für Schlagzeilen sorgte. Ausgehend von der Gleichung $a^2 + b^2 = c^2$ des Pythagoreischen Lehrsatzes, betrachten wir die Gleichungen $a^3 + b^3 = c^3, a^4 + b^4 = c^4$ usw., allgemein $a^n + b^n = c^n$ und stellen die Frage nach ihrer Lösbarkeit in natürlichen Zahlen a, b, c. Dazu bilden wir für jedes $n \in \mathbb{N}$ die Menge $G(n) = \{a^n + b^n - c^n \mid a, b, c \in \mathbb{N} \ \wedge \ a, b, c \neq 0\}$. Offensichtlich ist die Gleichung $a^n + b^n = c^n$ genau dann mit natürlichen, von Null verschiedenen Zahlen a, b, c lösbar, wenn $0 \in G(n)$ gilt. Mit einem Abstraktor bilden wir nun die Menge $\{n \in \mathbb{N} \mid 2 < n \ \wedge \ 0 \in G(n)\}$, die also eine Teilmenge von $\mathbb{N}$ ist. Bilden hätte man diese Menge bereits im Jahre 1637 können, aber erst seit kurzem weiß man, wie sie tatsächlich ausschaut. Nachdem Generationen von Mathematikern letztlich erfolglos versucht hatten, das Fermat'sche Problem zu lösen, gelang dem genialen englischen Mathematiker Andrew Wiles im Jahre 1993 der ersehnte Durchbruch. Unter Verwendung der schwierigsten mathematischen Methoden, die überhaupt zur Verfügung stehen, konnte Wiles das Problem endgültig lösen, indem er den Nachweis erbrachte, dass $\{n \in \mathbb{N} \mid 2 < n \ \wedge \ 0 \in G(n)\}$ die leere Menge ist.

Nach diesem Ausflug in die Problemgeschichte der Mathematik wollen wir nun endlich die versprochene Definition aller natürlichen Zahlen geben. Wir formulieren drei Eigenschaften, die die von Neumann'schen Modellmengen erfüllen. Im festen Glauben, dass diese drei Eigenschaften die Modellmengen auch charakterisieren, definieren wir eine natürliche Zahl als eine Menge n, für die Folgendes gilt:

(E1) Für alle $x \in n$ gilt $x \subset n$.

(E2) Für alle $x, y \in n$ gilt entweder $x \in y$ oder $y \in x$ oder $x = y$.

(E3) Wenn $z \in n$ oder $z = n$, dann gilt entweder $z = \emptyset$ oder es gibt ein $y \in z$, sodass $x \subset y$ für alle $x \in z$ gilt.

Man beachte, dass mit einem logischen Leerargument wie beim Beweis von $\emptyset \subset A$ die Eigenschaften (E1), (E2) und (E3) für $n = \emptyset$ erfüllt sind und somit $\emptyset$ *per definitionem* eine natürliche Zahl ist. Schritt für Schritt kann man sich ferner überzeugen, dass (E1), (E2) und (E3) auch für $n = \{\emptyset\}$, für $n = \{\emptyset, \{\emptyset\}\}$ usw., also für $n = 1$, für $n = 2$ usw. erfüllt sind. Die Eigenschaft (E3), die ein wenig seltsam erscheinen mag, sorgt dafür, dass die durch (E1) und (E2) festgelegten Modellmengen endlich sind. Das mag uns auch genügen. Die Definition der natürlichen Zahlen soll primär eines demonstrieren: Man kann die natürlichen Zahlen korrekt im sicheren Hafen der Mengenlehre verankern. Wie man das konkret tun kann, ist für alles Weitere unwichtig. Wir werden darauf nicht mehr zurückkommen, da wir nun den entscheidenden Schritt setzen und vom potentiell Unendlichen beliebig vieler zum aktual Unendlichen aller natürlichen Zahlen übergehen.

Dass dieser Übergang ein subtiles philosophisches Problem aufwirft, sei nicht verschwiegen. Allerdings ist festzustellen, dass die vor hundert Jahren darüber begonnenen und manchmal heftig ausgetragenen Diskussionen seit langem beendet und einer pragmatischen Haltung gewichen sind. Nachdem die Mengenlehre in einem beispiellosen Siegeszug sämtliche mathematischen Disziplinen durchdrungen hat, ist jeder Mathematiker, der in der wissenschaftlichen Forschung erfolgreich tätig sein will, einfach gezwungen, das Konzept des aktual Unendlichen, das Herzstück der Mengenlehre, ohne Wenn und Aber zu akzeptieren. Mehr denn je gilt Hilberts Motto: »Aus dem Paradies, das Cantor uns geschaffen, soll uns niemand vertreiben können.«

In diesem Sinne definieren wir nun $\mathbb{N} = \{n \mid$ (E1) $\wedge$ (E2) $\wedge$ (E3)$\}$ und haben damit alle natürlichen Zahlen zu einer Menge, die mit $\mathbb{N}$ bezeichnet wird, zusammengefasst. Die Menge $\mathbb{N}$ ist der Prototyp eines aktual unendlichen Gebildes, das einfachste Exemplar einer unendlichen Menge.

2.4 Das Fundament

Alle Arten von Zahlen, die in der Mathematik eine wichtige Rolle spielen, also die rationalen und irrationalen Zahlen, die algebraischen und transzendenten Zahlen, die reellen und komplexen Zahlen, finden ihre Basis in den natürlichen Zahlen. Die Menge $\mathbb{N}$ der natürlichen Zahlen bildet das Fundament, auf dem wir den gesamten Zahlbereich errichten werden. Zuvor jedoch wollen wir zu einer vollständigen Charakterisierung von $\mathbb{N}$ gelangen, also alle wesentlichen Eigenschaften zusammenfassen. Was genau macht das Wesen der natürlichen Zahlen aus? Wir beginnen ganz einfach und notieren die erste Eigenschaft:

(N0)   0 ist eine natürliche Zahl: $0 \in \mathbb{N}$.

In $\mathbb{N}$ sollte sich ferner das Wesen des Zählprozesses widerspiegeln, denn andernfalls hätten wir bei der Einführung von $\mathbb{N}$ schmählich versagt. Was ist das Wesen des Zählprozesses? Zunächst muss man einmal anfangen zu zählen. Auch wenn wir 0 als eine natürliche Zahl ansehen, zu zählen beginnt man jedenfalls mit 1. Im Englischen wird gelegentlich zwischen den *natural numbers*, die mit 0 beginnen, und den *counting numbers*, die mit 1 beginnen, unterschieden. Das lässt sich ins Deutsche nicht gut übernehmen, natürliche Zahlen und »Zählzahlen«? Sagen wir also, dass wir die natürlichen Zahlen der Reihe nach abschreiten. Wir beginnen bei 0, was demonstrativ in (N0) festgehalten ist. Schrittweise geht es weiter: Nach 0 kommt 1, nach 1 kommt 2, nach 2 kommt 3 usw. Egal, wo ich gerade stehe, mit einem nächsten Schritt geht es weiter. Speziell muss es zu jeder Zahl einen unmittelbaren Nachfolger geben. Der Nachfolger von 0 ist 1, der Nachfolger von 1 ist 2, der Nachfolger von 17 ist 18, der Nachfolger von 100 ist 101. Fundamental für den Zählprozess ist also, immer zu wissen, welche Zahl der unmittelbare Nachfolger einer beliebigen natürlichen Zahl ist. Es gilt nun also, den Begriff *Nachfolger* mengentheoretisch dingfest zu machen. Hierbei zeigt sich ein entscheidender Vorteil der von Neumann'schen Definition der natürlichen Zahlen. Es gilt nämlich:

$$1 = \{0\} = \{x \in \mathbb{N} \mid x \leq 0\}$$
$$2 = \{0,1\} = \{x \in \mathbb{N} \mid x \leq 1\}$$
$$3 = \{0,1,2\} = \{x \in \mathbb{N} \mid x \leq 2\}$$
$$4 = \{0,1,2,3\} = \{x \in \mathbb{N} \mid x \leq 3\}$$
$$5 = \{0,1,2,3,4\} = \{x \in \mathbb{N} \mid x \leq 4\} \text{ usw.}$$

Dabei haben wir die Relation » ≤ « im üblichen Sinn verwendet. Man schreibt $x \leq y$ genau dann, wenn entweder $x < y$ oder $x = y$ gilt. Es geht auch formal noch einfacher: Für $n, m \in \mathbb{N}$ ist $n \leq m$ gleichbedeutend mit $n \subset m$! Damit können wir den Nachfolger von n, den wir mit n^+ bezeichnen wollen, mengentheoretisch folgendermaßen festlegen:

Für $n \in \mathbb{N}$ ist $n^+ = \{x \in \mathbb{N} \mid x \subset n\}$.

Durch diese Definition ist der Nachfolger einer Zahl stets eindeutig bestimmt, es gilt also

(N1) Keine natürliche Zahl hat mehr als einen Nachfolger:
Für $m, n \in \mathbb{N}$ folgt aus $m^+ \neq n^+$ zwingend $m \neq n$.

Die in 2.3 gegebene Definition der Menge $\mathbb{N}$ garantiert, dass der Nachfolger einer natürlichen Zahl stets selbst eine natürliche Zahl ist:

(N2) Wenn $n \in \mathbb{N}$, dann $n^+ \in \mathbb{N}$.

Wegen $n \leq n$ bzw. $n \subset n$ gilt stets $n \in n^+$. Insbesondere gilt also stets $n^+ \neq \emptyset$:

(N3) Die Zahl 0 kommt als Nachfolger einer natürlichen Zahl nicht in Frage: Für alle $n \in \mathbb{N}$ gilt $n^+ \neq 0$.

Das folgende (mengentheoretisch leicht beweisbare) Prinzip garantiert, dass man beim Abschreiten der Zahlen in $\mathbb{N}$ nicht in eine Endlosschleife hineingerät.

(N4) Zwei verschiedene natürliche Zahlen können nicht denselben Nachfolger haben: Für $m, n \in \mathbb{N}$ folgt aus $m \neq n$ zwingend $m^+ \neq n^+$.

In der Kombination der Prinzipien (N0) bis (N4) manifestiert sich die Unendlichkeit der Menge $\mathbb{N}$: Zunächst sorgt (N0) dafür, dass die Modellmenge $\mathbb{N}$ nicht versehentlich leer ist. Wenn man die Zahlen in $\mathbb{N}$ abschreitet, geht man wegen (N3) von Anfang an nicht in einem Kreis, wird wegen (N4) auch nicht später in einer Schleife gefangen, kommt wegen (N2) nie vom Weg ab und wegen (N1) nie zu einer Weggabelung. Alles zusammengenommen, kommt man nie zu einem Ende, und wenn man eine Zahl einmal passiert hat, kehrt man nie wieder zu ihr zurück. Das folgende Prinzip garantiert schließlich, dass beim Abschreiten der Zahlen keine Zahl ausgelassen wird.

(N5) Es sei M eine Teilmenge von $\mathbb{N}$ mit folgenden zwei Eigenschaften:
(a) Es gilt $0 \in M$.

(b) Für alle $m \in M$ gilt $m^+ \in M$.

Dann muss bereits $M = \mathbb{N}$ gelten.

Das Prinzip (N5) heißt *Prinzip der vollständigen Induktion*, kurz: Induktionsprinzip. Dieses Prinzip ist absolut plausibel: Punkt (b) sagt, dass $m^+ \in M$ für alle $m \in M$ gilt. Da nach Punkt (a) jedenfalls $0 \in M$ sichergestellt ist, muss nach Punkt (b) auch $0^+ \in M$ gelten. Es ist $0^+ = 1$, also ist $1 \in M$ gewährleistet. Wieder nach Punkt (b) muss daher auch $1^+ \in M$ gelten. Es ist $1^+ = 2$, also ist $2 \in M$ gewährleistet. Wieder nach Punkt (b) muss daher auch $2^+ \in M$ gelten. Es ist $2^+ = 3$, also ist $3 \in M$ gewährleistet. Und so weiter! Wenn man so will, ist es wie mit Dominosteinen. Fällt der erste um, dann bringt er den zweiten zu Fall, dieser schmeißt den dritten um, der dritte den vierten usw. Fällt der erste um, fallen alle um. Das Wechselspiel zwischen Verwendung von Zwischenergebnissen und Anwendung von Punkt (b) sorgt dafür, dass 1, 2, 3, usw. alles Elemente von M sind, kurz dass $\mathbb{N}$ eine Teilmenge von M ist. Da aber M eine Teilmenge von $\mathbb{N}$ ist, muss daher $M = \mathbb{N}$ gelten.

Das Induktionsprinzip (N5) ist das auf $\mathbb{N}$ optimal zugeschnittene Beweisprinzip. Man spricht gerne vom Beweis durch vollständige Induktion. Unzählige Lehrsätze der Mathematik beginnen mit den Worten »Für alle natürlichen Zahlen gilt ...«, gefolgt von einer Formel oder Aussage. Und diese Lehrsätze müssen natürlich alle streng bewiesen werden. Dabei ist der Spielraum sehr eng. Streng genommen kommt bei einem solchen Beweis, auch wenn man es nicht gleich bemerkt, immer das Induktionsprinzip oder ein mit demselben in engstem Zusammenhang stehendes Prinzip zur Anwendung. Zwei solche Prinzipien, nämlich Wohlordnung und **unendlicher Regress** werden in den Vertiefungen im Hinblick auf einen **Beweis des Hauptsatzes** der Zahlentheorie behandelt.

S.105
S.108

Abschließend noch ein Wort zur axiomatischen Einführung der natürlichen Zahlen. Vergessen wir die konkrete mengentheoretische

Definition einer natürlichen Zahl n und ihres Nachfolgers n^+ und betrachten wir irgendeine Menge $\mathbb{N}$, deren Elemente wir »natürliche Zahlen« nennen, die folgende Eigenschaften hat:

1. Es gibt ein ausgezeichnetes Objekt $0 \in \mathbb{N}$, das man »Null« nennt.
2. Mit jedem $n \in \mathbb{N}$ assoziiert man einen »Nachfolger« $n^+ \in \mathbb{N}$.
3. Die Prinzipien (N1) bis (N5) sind erfüllt.

Man kann zeigen, dass man damit etwas bekommt, das arithmetisch dasselbe leistet wie unser konkretes mengentheoretisches Modell der natürlichen Zahlen. Viele Mathematiker geben dieser Einführung der natürlichen Zahlen den Vorzug. Man demonstriert damit, dass die natürlichen Zahlen einen undefinierbaren Grundbegriff darstellen, der durch einen Katalog charakteristischer Eigenschaften (möglichst) vollständig erklärt wird.

2.5 Die Grundrechnungsarten

Die im vorigen Kapitel erwähnte axiomatische Einführung der natürlichen Zahlen weist gegenüber der von Neumann'schen Definition derselben einen deutlichen Nachteil auf, wenn es darum geht, die Grundrechnungsarten zu definieren. Will man etwa $2 \cdot n$ für alle $n \in \mathbb{N}$ definieren, so gibt es im abstrakten Modell $\mathbb{N}$, das rein axiomatisch erklärt ist, nur einen Weg, und der ist holprig: Man definiert schrittweise $2 \cdot 0 = 0$, $2 \cdot 1 = 2$, $2 \cdot 2 = 4$, $2 \cdot 3 = 6$ usw. und versucht das »usw.« induktiv via $2 \cdot (n^+) = ((2 \cdot n)^+)^+$ in den Griff zu bekommen: Wenn man $2 \cdot 37 = 74$ schon weiß, erfährt man dann $2 \cdot 38 = 2 \cdot (37^+) = ((2 \cdot 37)^+)^+ = (74^+)^+ = 75^+ = 76$.

Damit ist gerade mal das Produkt $2 \cdot n$ für beliebige $n \in \mathbb{N}$ definiert. Was man ja eigentlich will, ist eine korrekte Definition von $m \cdot n$ für alle $m \in \mathbb{N}$ und alle $n \in \mathbb{N}$. Nun kann man auf analoge Weise induktiv das Produkt $3 \cdot n$ für beliebige $n \in \mathbb{N}$ definieren, das Produkt $4 \cdot n$ für beliebige $n \in \mathbb{N}$ definieren, das Produkt $5 \cdot n$ für beliebige $n \in \mathbb{N}$ definieren usw. Hier hat man schon wieder ein »usw.«, das – natürlich induktiv – nur in den Griff zu bekommen ist, wenn man bereits die Addition definiert hat. Aber auch zur Definition der Addition bedarf es einer »doppelt induktiven« Vorgangsweise, die wiederum ein kompliziertes Rekursionsprinzip benötigt, das man vorher im Rahmen der Mengenlehre begründen, das heißt: beweisen muss.

Wir sind in der glücklichen Lage, uns um all das nicht kümmern zu müssen. Die von Neumann'sche Definition der natürlichen Zahlen gestattet es, die Grundrechnungsarten auf einfache Weise zu definieren, die sich überdies auch als sehr natürlich erweist, entspricht sie doch im Wesentlichen den Erklärungen, die man einem Kind gibt, das gerade addieren und multiplizieren lernt. Wir beginnen mit der Multiplikation, die mengentheoretisch leichter zu definieren ist als die Addition.

Warum ist drei mal vier gleich zwölf? Dazu betrachten wir einfach die beiden folgenden Rechtecksschemata, die für sich selbst sprechen:

Nebenbei erklären die beiden Bilder, warum $3 \cdot 4 = 4 \cdot 3$ gilt. Um nun eine korrekte Definition der Multiplikation zweier natürlicher Zahlen n und m zu geben, brauchen wir nur eine mengentheoretische Einkleidung der Rechtecksschemata. Dazu verweilen wir noch ein wenig beim Beispiel $3 \cdot 4$. Wir nehmen die Mengen $3 = \{0, 1, 2\}$ und $4 = \{0, 1, 2, 3\}$ her und betrachten alle geordneten Paare (x, y), wobei x ein Element der ersten und y ein Element der zweiten Menge sein soll. All diese geordneten Paare schreiben wir der besseren Übersichtlichkeit halber in ein Rechtecksschema:

(0, 0) (0, 1) (0, 2) (0, 3)
(1, 0) (1, 1) (1, 2) (1, 3)
(2, 0) (2, 1) (2, 2) (2, 3)

Bildet man nun die Menge all dieser geordneten Paare, dann verliert man zwar jegliche Ordnung der Zahlenpaare – Mengen sind ihrem Wesen nach ungeordnete Kollektionen – das Wesentliche bleibt aber bestehen: Die Menge

{ (0, 0), (0, 1), (0, 2), (0, 3), (1, 0), (1, 1), (1, 2), (1, 3), (2, 0), (2, 1), (2, 2), (2,3) }

enthält genau zwölf Elemente. Bevor wir nun zu einer allgemeinen Definition der Multiplikation gelangen, müssen drei Dinge erledigt werden. Zunächst muss die Bildung eines Paares (x, y) aus zwei Objekten x und y korrekt definiert werden. Ferner muss man die Menge aller Paare (x, y) bilden können, wobei x aus einer Menge X und y aus einer Menge Y genommen wird. Schließlich muss vor allem der Begriff Anzahl der Elemente einer Menge präzisiert werden.

Wie Letzteres zu erledigen ist, haben wir bereits in 2.2 angedeutet. Eine natürliche Zahl n ist nach der von Neumann'schen Definition eine Modellmenge, die anschaulich genau n Elemente enthält. Irgendeine Menge A hat somit genau n Elemente, die Anzahl der Elemente von A ist gleich n, wenn die Menge A genauso viele Elemente wie die Menge n enthält. Der intuitive Begriff genauso viel wird auf natürliche Weise mit Hilfe des Begriffs der Bijektion präzisiert: Man sagt, dass sich zwischen Mengen X und Y eine Bijektion herstellen lässt, wenn man jedem Element der Menge X ein eindeutig bestimmtes Element der Menge Y zuordnen kann und umgekehrt. Den Begriff **Bijektion** wollen wir im Sinne einer umkehrbar eindeutigen Zuordnung hier intuitiv verwenden, eine mengentheoretische Präzisierung desselben behandeln wir in den Vertiefungen.

S.112

45

Es ist anschaulich klar, dass es zu jeder Menge A entweder genau eine oder überhaupt keine natürliche Zahl n gibt, sodass eine Bijektion zwischen der Menge A und der Modellmenge n hergestellt werden kann. Ist Ersteres der Fall und n die entsprechende natürliche Zahl, dann heißt die Zahl n die *Anzahl der Elemente der Menge A* und man schreibt abkürzend $|A| = n$.

Damit haben wir den anschaulichen Begriff »Anzahl« auf natürliche Weise tatsächlich definiert, zumindest auf den Begriff **Bijektion** zurückgeführt. Ferner können wir die bis jetzt schon oft verwendeten, aber nie wirklich definierten Begriffe endliche bzw. unendliche Menge korrekt einführen:

S.112

Eine Menge A heißt endlich, wenn es ein $n \in \mathbb{N}$ gibt, sodass $|A| = n$ gilt. Eine Menge A heißt unendlich, wenn sie nicht endlich ist, also wenn sich für kein $n \in \mathbb{N}$ eine Bijektion zwischen der Menge A und der Menge n herstellen lässt.

Zum Begriff Anzahl stellen wir abschließend noch fest, dass nicht nur anschaulich, sondern auch im präzisen mengentheoretischen Sinn $|n| = n$ für alle $n \in \mathbb{N}$ gilt. Das ist für $n \neq 0$ offensichtlich, da sich eine Bijektion zwischen der Menge n, deren Anzahl zu bestimmen ist, und derselben Menge, die als Modellmenge zur Bestimmung der Anzahl dienen soll, sofort herstellen lässt, indem man jedem Element m der Menge n das Element m selbst zuordnet. Es gilt aber auch $|0| = 0$ bzw. $|\emptyset| = 0$, wie man mit einem logischen »Leerargument« (ähnlich dem beim Beweis von $\emptyset \subset A$ in 2.3 verwendeten) zeigen kann.

Nun wenden wir uns den beiden anderen Fragen zu, die vor einer sauberen Definition der Multiplikation geklärt werden müssen. Da ausnahmslos alle mathematischen Objekte als Mengen zu definieren sind, müssen wir auch für beliebig vorgegebene Mengen x und y das geordnete Paar (x,y) als Menge definieren. Das kann man im Prinzip irgendwie machen, wichtig ist einzig und allein, dass dies so geschieht, dass für beliebige Mengen a, b, c, d genau dann $(a,b) = (c,d)$ sichergestellt ist, wenn sowohl $a = c$ als auch $b = d$ gilt. Denn genau das macht das Wesen eines geordneten Paares aus. Man kann also nicht einfach $(x,y) = \{x,y\}$ definieren, denn bei der Bildung der Menge $\{x,y\}$ geht die Reihenfolge von x und y automatisch verloren. Es ist z. B. $\{1,2\} = \{2,1\}$, aber $(1,2)$ und $(2,1)$ sollen ja so definiert sein, dass keinesfalls $(1,2) = (2,1)$ gilt. (Die Menge von vorhin hätte dann nicht zwölf, sondern nur neun Elemente.) Tatsächlich gibt es zahlreiche (ja sogar unendlich viele) Möglichkeiten, (x,y) in richtiger Weise als Menge zu definieren, und es ist letztlich egal, welche Definition man nun wirklich verwenden will. Insbesondere muss die Definition weder »natürlich« noch gut merkbar sein. Es genügt daher völlig, einmal eine allgemeine Definition von (x,y) gegeben zu haben, um sie anschließend auch gleich wieder zu vergessen. Der Vollständigkeit halber stellen wir eine der zahlreichen Möglichkeiten, das konkret durchzuführen, vor: Man definiert das geordnete Paar (x,y) für beliebige Mengen x und y als die Menge $\{\{x\}, \{x,y\}\}$. Tatsächlich gilt – wie man nicht allzuschwer überprüfen kann – $\{\{a\}, \{a,b\}\} = \{\{c\}, \{c,d\}\}$ genau dann, wenn sowohl $a = c$ als auch $b = d$ gilt, womit die Definition ihre einzige Daseinsberechtigung erfüllt.

Nachdem die Definition des geordneten Paares erledigt ist, wenden wir uns nun der Bildung der Menge aller geordneten Paare aus zwei Grundmengen zu. Es seien also A und B irgendwelche Mengen. (Insbesondere ist auch $A = B$ möglich.) Mit Hilfe eines Term-Abstraktors definieren wir dann

$$A \times B = \{(a,b) \mid a \in A \;\wedge\; b \in B\}.$$

Ein Objekt liegt also genau dann in der Menge $A \times B$, wenn es ein geordnetes Paar (a,b) ist, dessen erste »Koordinate« a ein Element der Menge A und dessen zweite »Koordinate« b ein Element der Menge B ist. Die Menge $A \times B$ ist die Menge aller Paare (a,b) mit $a \in A$ und

$b \in B$. Man nennt $A \times B$ das Cartesische Produkt der Mengen A und B. Um eine Verwechslungsgefahr zu vermeiden, verwenden wir »×« nur zur Bildung des cartesischen Produkts zweier Mengen. Als Operationssymbol der Multiplikation von Zahlen verwenden wir stets »·«. $A \times B$ wird »A KREUZ B« und a·b wird »a MAL b« gesprochen. Bei dem vorigen Beispiel zur Illustration der Multiplikation 3·4 haben wir bereits die Menge $\{0, 1, 2\} \times \{0, 1, 2, 3\} = 3 \times 4$ gebildet und mit all ihren zwölf Elementen angeschrieben. Das kann uns nun gleich als Aufhänger für die allgemeine Definition der Multiplikation dienen:

Für $m, n \in \mathbb{N}$ definieren wir $m \cdot n = |m \times n|$.

Zur Bestimmung von z.B. 17·23 bildet man die Menge 17×23 aller Paare (x,y) mit den siebzehn Elementen x der Menge 17 und den dreiundzwanzig Elementen y der Menge 23. Durch Abzählen, formal durch Herstellung einer Bijektion erkennt man dann, dass es genau 391 solcher Paare gibt, also dass die Menge 17×23 genau 391 Elemente enthält, kurz, dass $|17 \times 23| = 391$ gilt. Damit erhalten wir definitionsgemäß 17·23 = 391.

Stillschweigend haben wir bei der Definition der Multiplikation vorausgesetzt, dass für $m,n \in \mathbb{N}$ die Menge $m \times n$ stets endlich ist, sodass $|m \times n|$ tatsächlich auch eine natürliche Zahl ist und damit $m \cdot n \in \mathbb{N}$ gewährleistet ist. Das beruht einfach auf der selbstverständlichen Tatsache, dass für zwei endliche Mengen A und B auch die Menge $A \times B$ stets endlich ist.

Bevor wir damit die Einführung der Multiplikation für erledigt erachten, um uns der Addition zuzuwenden, noch ein Wort zur Kommutativität sowie zur Sonderrolle der 0 und der 1 bei der Multiplikation. Für endliche, nichtleere Mengen A und B ist es anschaulich klar, dass die Menge $A \times B$ genauso viele Elemente enthält wie die Menge $B \times A$. Jedem Paar (a, b) in der einen Menge entspricht genau ein Paar (b, a) in der anderen. Die gleiche Anzahl der Elemente ist aber auch gegeben, wenn eine der beiden Mengen A, B leer ist. Diese Anzahl ist dann 0. Wenn man nämlich das Cartesische Produkt irgendeiner Menge M mit der leeren Menge betrachtet, also $M \times \emptyset = \{(a,b) \mid a \in M \wedge b \in \emptyset\}$ bildet, so kann diese Menge mangels eines $b \in \emptyset$ gar kein Element (a,b) enthalten, muss somit die leere Menge sein. Dasselbe gilt offensichtlich auch für die Menge $\emptyset \times M$. Es gilt also für eine Menge M stets $M \times \emptyset = \emptyset \times M = \emptyset$. Daraus gewinnen wir direkt die Formel $n \cdot 0 = 0 \cdot n = 0$ für alle $n \in \mathbb{N}$.

Kann für natürliche Zahlen $m, n \neq 0$ eine Bijektion zwischen der Menge $m \times n$ und einer Menge $k \in \mathbb{N}$ hergestellt werden, dann kann man auch eine Bijektion zwischen $n \times m$ und k herstellen. Es gilt daher $|m \times n| = k$ und $|n \times m| = k$, also $|m \times n| = |n \times m|$. Das bedeutet, dass die Multiplikation kommutativ ist: Für alle $m, n \in \mathbb{N}$ gilt $m \cdot n = n \cdot m$.

Schließlich gilt auch noch $n \cdot 1 = n$ (und somit auch $1 \cdot n = n$) für alle $n \in \mathbb{N}$. Um das einzusehen, betrachten wir die Menge $n \times 1 = n \times \{0\} = \{(m,0) \mid m \in n\}$ und ordnen dem Element $(m,0)$ der Menge $n \times 1$ das Element m der Menge n zu.

Nun wenden wir uns der Addition zu, wobei wir einen Weg einschlagen, der zwar natürlich und kurzweilig, allerdings auch unüblich ist. (Der übliche Weg ist technisch aufwendiger, da man die von uns nicht verwendeten mengentheoretischen Begriffe Vereinigung und Disjunktheit benötigt.) Normalerweise definiert man zuerst die Addition von Zahlen, um dann anschließend die Subtraktion als Umkehrung der Addition zu definieren. Die von Neumann'sche Definition der natürlichen Zahlen ermöglicht es uns aber, auf frappierend einfache Weise eine direkte Definition der Subtraktion zu geben. Wir definieren daher zuerst die Subtraktion und danach die Addition als Umkehrung der Subtraktion.

Wie erkläre ich einem Kind, warum sieben minus drei gleich vier ist? Nun, besonders geeignet ist das Blumentopfgleichnis: Auf dem Fensterbrett stehen sieben Blumentöpfe und der Wind schmeißt drei davon um. Indem man die stehen gebliebenen Töpfe zählt, erkennt man, dass $7-3=4$ gilt. Ohne weitere Motivation lassen wir unsere Definition der Subtraktion nun vom Himmel fallen:

Für $n, m \in \mathbb{N}$ und $m \leq n$ sei $n - m = | \{x \in n \mid x \notin m\} |$.

Was wir bei dieser Definition der Subtraktion ausnützen, ist die Äquivalenz der Aussagen $m \leq n$ und $m \subset n$ bei der von Neumann'schen Definition der natürlichen Zahlen. Zur Illustration betrachten wir noch einmal das Beispiel $7-3$. Um $7-3$ definitionsgemäß zu bestimmen, betrachten wir die Mengen $7 = \{0, 1, 2, 3, 4, 5, 6\}$ und $3 = \{0, 1, 2\}$. Die Menge $\{x \in 7 \mid x \notin 3\}$ gewinnt man nun aus der Menge 7, indem man all die Elemente entfernt, die auch in der Menge 3 liegen. Man entfernt also 0, 1, 2 aus der Menge $\{0, 1, 2, 3, 4, 5, 6\}$, übrig bleibt die Menge $\{3, 4, 5, 6\}$. Es ist also $\{x \in 7 \mid x \notin 3\} = \{3, 4, 5, 6\}$. Diese Menge hat genau vier Elemente: $| \{x \in 7 \mid x \notin 3\} | = 4$. Somit gilt definitionsgemäß $7 - 3 = 4$.

Als einfache Folgerung unserer Definition gewinnen wir die elementare Formel $n - 0 = n$ für alle $n \in \mathbb{N}$. Zunächst sei festgestellt, dass $n - 0$ sinnvoll gebildet werden kann, da automatisch $0 \leq n$ gilt. (Bei der Subtraktion $n - m$ ist stets darauf zu achten, dass der Subtrahend m nicht größer als der Minuend n ist!) Wegen $0 = \emptyset$ ist $x \notin 0$ eine allgemeingültige und somit nichteinschränkende Eigenschaft. Daher ist die Menge $\{x \in n \mid x \notin 0\}$ identisch mit der Menge $\{x \mid x \in n\} = n$. Insgesamt gilt daher $n - 0 = | \{x \in n \mid x \notin 0\} | = |n| = n$.

Bevor wir die Addition als Umkehrung der Subtraktion definieren können, müssen wir sicherstellen, dass diese Umkehrung erstens überhaupt möglich und zweitens eindeutig durchführbar ist. Dazu stellen wir fest:

(1) Wenn $n_1, n_2, m \in \mathbb{N}$ und $m \leq n_1 < n_2$, dann $n_1 - m < n_2 - m$.

Anschauliche Begründung: $m \leq n_1 < n_2$ heißt dreierlei, nämlich $m \subset n_1$, $n_1 \subset n_2$ und $n_1 \neq n_2$. Insbesondere gilt auch $m \subset n_2$ und somit ist

$\{x \in n_1 \mid x \notin m\}$ eine echte Teilmenge der Menge $\{x \in n_2 \mid x \notin m\}$. (*A* heißt echte Teilmenge von *B*, wenn *A* eine von *B* verschiedene Teilmenge von *B* ist.) Es muss daher $|\{x \in n_1 \mid x \notin m\}| < |\{x \in n_2 \mid x \notin m\}|$ gelten, d.h. es muss $n_1 - m < n_2 - m$ gelten. Ferner stellen wir fest:

(2) Für alle $m \in \mathbb{N}$ gilt $\{n - m \mid (n \in \mathbb{N}) \wedge (m \leq n)\} = \mathbb{N}$.

Man kann (2) nicht allzu schwer mit vollständiger Induktion (vgl. 2.4) nachprüfen. Wir begnügen uns mit einem erhellenden Beispiel für $m = 5$. Die Menge $\{n - 5 \mid (n \in \mathbb{N}) \wedge (5 \leq n)\}$ kann man in salopper Weise umschreiben: $\{n - 5 \mid n = 5, 6, 7, 8, 9, 10, 11, 12, ...\}$, um sie aufzählend anzuschreiben: $\{5 - 5, 6 - 5, 7 - 5, 8 - 5, 9 - 5, 10 - 5, 11 - 5, 12 - 5, ...\}$. Sie ist offensichtlich identisch mit der Menge $\{0, 1, 2, 3, 4, 5, 6, 7, ...\}$, also mit der Menge $\mathbb{N}$.

Kombiniert man nun (1) und (2), so gewinnt man die Sicherheit, dass es zu jeder natürlichen Zahl *m* und zu jeder natürlichen Zahl *k* genau eine natürliche Zahl *n* gibt, sodass $n - m = k$ gilt. Denn wegen (2) gibt es eine solche Zahl *n* und wegen (1) kann es nicht mehr als eine solche Zahl geben. Genau diese Sicherheit benötigen wir zu einer korrekten Definition der Addition, die wir nun folgendermaßen angehen:

Für natürliche Zahlen *a* und *b* ist die Summe $a + b$ als diejenige natürliche Zahl *c* definiert, für die $c - b = a$ gilt.

Zur Illustration ermitteln wir die Summe $4 + 3$ der Zahlen 4 und 3: Nach (1) und (2) gibt es genau eine natürliche Zahl *n*, für die $n - 3 = 4$ gilt. Definitionsgemäß gilt $4 + 3 = n$. Wegen $7 - 3 = 4$ muss diese eindeutig bestimmte Zahl *n* identisch mit 7 sein. Daher gilt $4 + 3 = 7$.

Aus der bereits bewiesenen Formel $n - 0 = n$ gewinnen wir sofort, dass $n + 0 = n$ für alle $n \in \mathbb{N}$ gilt. Abschließend wollen wir noch die wichtigsten Rechenregeln für natürliche Zahlen zusammenstellen.

All diese Regeln müssen selbstverständlich und können auch sauber bewiesen werden. Da eine detaillierte Durchführung dieser Beweise erstens ziemlich langwierig, zweitens auch besonders langweilig wäre, verzichten wir darauf.

Hier die Rechenregeln kurz und bündig:

Für alle natürlichen Zahlen a, b, c gilt:

(KA) $a + b = b + a$ (Kommutativgesetz der Addition)

(AA) $(a + b) + c = a + (b + c)$ (Assoziativgesetz der Addition)

(KM) $a \cdot b = b \cdot a$ (Kommutativgesetz der Multiplikation)

(AM) $(a \cdot b) \cdot c = a \cdot (b \cdot c)$ (Assoziativgesetz der Multiplikation)

(D) $(a + b) \cdot c = (a \cdot c) + (b \cdot c)$ (Distributivgesetz)

Das Gesetz (D) zeigt auf, wie die Addition und die Multiplikation miteinander verzahnt sind. Es ist z. B. $2 \cdot n = (1 + 1) \cdot n = (1 \cdot n) + (1 \cdot n) = n + n$. Wegen der beiden Kommutativgesetze kann das Distributivgesetz (D) in mehreren Varianten aufgeschrieben werden. So gilt auch stets

$$a \cdot (b + c) = (c + b) \cdot a = (c \cdot a) + (b \cdot a) = (a \cdot c) + (a \cdot b) = (a \cdot b) + (a \cdot c) .$$

Mit Hilfe der Assoziativgesetze (AA) bzw. (AM) kann man drei Zahlen addieren bzw. multiplizieren, obwohl die Addition bzw. Multiplikation nur für zwei Zahlen definiert ist. Nach mehrfacher Anwendung der beiden Assoziativgesetze kann man auch vier, fünf, sechs Zahlen usw. addieren und multiplizieren und via (D) erkennt man dann auch, dass die Multiplikation eine Art Abkürzung einer mehrfachen Addition ist, dass z. B. $5 \cdot n = n + n + n + n + n$ und $8 \cdot n = n + n + n + n + n + n + n + n$ für alle $n \in \mathbb{N}$ gilt.

3 DIE BRUCHZAHLEN

3.1 Zahlenverhältnisse und Verhältniszahlen

Was bedeutet es, dass Zahlen a und b dasselbe Verhältnis zueinander haben wie Zahlen c und d, wofür man suggestiv $a:b=c:d$ schreibt? Warum gilt z.B. $15:10=6:4$? Nun, offensichtlich erhält man 15 aus 10, indem man zu 10 die Hälfte von 10 addiert. Ebenso bekommt man 6, indem man zu 4 die Hälfte von 4 addiert. Deshalb gilt $15:10=6:4$ und ferner auch $10:15=4:6$. Komplizierter wird es, wenn man z.B. $91:104=119:136$ nachvollziehen will. Unter Bezugnahme auf den in 1.6 bereits diskutierten Begriff *Verhältnis der Längen zweier Strecken* können wir aber ganz einfach festlegen:

Wir sagen, dass natürliche Zahlen a und b im selben Verhältnis stehen wie natürliche Zahlen c und d, und schreiben dafür kurz $a:b=c:d$, wenn $a\cdot d=b\cdot c$ gilt.

Es gilt somit $91:104=119:136$, weil $91\cdot 136=12376=104\cdot 119$ gilt. Wichtig in diesem Zusammenhang ist, dass – im Moment jedenfalls – nur die »Gleichung« $91:104=119:136$ Sinn macht, die Einzelausdrücke $91:104$ und $119:136$ für sich genommen dagegen sinnlos sind. Ziel dieses Kapitels ist es, diesen Ausdrücken Sinn zu verleihen, eben von Zahlenverhältnissen zu Verhältniszahlen zu gelangen.

Wenn man Ausdrücke der Art $15:10$, $91:104$ o.Ä. als »Zahlen« ansehen will, dann sind zwei Aspekte zu berücksichtigen, ein grundsätzlicher und ein zweckmäßiger. Grundsätzlich muss jedes mathematische Objekt ordentlich eingeführt werden. Es ist also der Ausdruck $m:n$ für beliebige $m,n\in\mathbb{N}$ als Menge zu definieren. Vor allem aber sollte man mit den dann ordentlich definierten Objekten $m:n$ sinnvoll und auf natürliche Weise rechnen können, auf dass dieselben mit Recht als Zahlen bezeichnet werden.

Wie soll man nun konkret die »Verhältniszahlen« $m:n$ definieren? Dazu ändern wir gleich einmal die Schreibweise. Statt $m:n$ schreiben wir $\frac{m}{n}$ und reservieren die Schreibweise $m:n$ – zumindest vorerst – ausschließlich für die Verhältnisgleichungen $m:n=a:b$. Die zu definierenden »Zahlen« $\frac{m}{n}$ werden wir dann Bruchzahlen nennen. Wir wollen nun zunächst einmal gegenteilig fragen, wie man $\frac{m}{n}$ nicht definieren sollte.

Es sollte im Wesen einer »Bruchzahl« liegen, dass zum Beispiel $\frac{6}{4}$ identisch mit $\frac{3}{2}$ ist, dass also $\frac{6}{4}$ und $\frac{3}{2}$ zwei Bezeichnungsweisen für ein und dasselbe darstellen. Man kann es sich also nicht so leicht machen, dass man die »Bruchzahl« $\frac{6}{4}$ einfach als geordnetes Paar $(6,4)$ und damit als Menge wie in 2.5 definiert. Denn würde man einfach $\frac{m}{n}=(m,n)$ für $m,n\in\mathbb{N}$ definieren, dann hätte man z.B. wegen $(6,4)\neq(3,2)$ automatisch $\frac{6}{4}\neq\frac{3}{2}$. Eine Definition der Art $\frac{m}{n}=(m,n)$ wäre zwar logisch korrekt, aber in puncto Zweckmäßigkeit völlig daneben. Wir müssen es irgendwie schaffen, Dinge unter einen Hut zu kriegen, die auf den ersten Blick verschieden ausschauen, in »Wirklichkeit« aber identisch sind. Oft sieht man das übrigens gar nicht auf den ersten Blick, denn wer erkennt schon sofort, ob etwa $\frac{91}{104}$ und $\frac{119}{136}$ gleich oder verschieden sind.

So unzweckmäßig ist die Idee mit den Zahlenpaaren (m,n) aber auch wieder nicht, wenn man sie als ersten Schritt sieht. Was wir nämlich leicht bewerkstelligen können, ist einfach, alle Zahlenpaare (m,n), die dieselbe »Bruchzahl« beschreiben, zu einer Menge zusammenzufassen. Wenn man z.B. die »Bruchzahl« $\frac{6}{4}$ hernimmt, dann wird sie durch das Zahlenpaar $(3,2)$, natürlich durch das Zahlenpaar $(6,4)$, ferner durch das Zahlenpaar $(9,6)$, durch das Zahlenpaar $(12,8)$ usw. beschrieben. Umgekehrt beschreibt ein Zahlenpaar (m,n) die »Bruchzahl« $\frac{6}{4}$, wenn $m:n=6:4$ im Sinne unserer Suggestivschreibweise, also wenn $4\cdot m=6\cdot n$ gilt. Wir bilden nun einfach die Menge $\{(m,n)\in\mathbb{N}\times\mathbb{N}\mid m:n=6:4\}$, in der genau die Zahlenpaare (m,n) liegen, für die das Verhältnis zwischen m und n dasselbe ist wie zwischen 6 und 4. So enthält die Menge eben die Zahlenpaare (3,2), (6,4), (9,6), (12,8), (15,10), (18,12) usw.

Bis auf einen Schönheitsfehler haben wir damit das Wesen der »Bruchzahl« $\frac{6}{4}$ erfasst. Da offensichtlich $4 \cdot 0 = 6 \cdot 0$ gilt, liegt das Paar (0,0) ärgerlicherweise ebenfalls in unserer Menge. Man will die »Bruchzahl« $\frac{6}{4}$ zwar alternativ mit $\frac{3}{2}$ bezeichnen, aber keinesfalls mit $\frac{0}{0}$, weil damit alles den Bach hinuntergeht, jegliche Information über $\frac{6}{4}$ verloren geht. Hier hilft nur ein Verbotsschild: Wir betrachten ausschließlich Zahlenpaare (m,n), bei denen die zweite Zahl n von Null verschieden ist. In diesem Zusammenhang führen wir gleich eine praktische Bezeichnungsweise ein: Es sei $\mathbb{N}^*$ die Menge aller natürlichen Zahlen n, die von 0 verschieden sind, also die Menge aller »counting numbers«:

$$\mathbb{N}^* = \{n \in \mathbb{N} \mid n \neq 0\} = \{1, 2, 3, 4, 5, 6, 7, \dots\}.$$

Und jetzt definieren wir

$$\frac{6}{4} = \{(m,n) \in \mathbb{N} \times \mathbb{N}^* \mid m : n = 6 : 4\}.$$

Damit ist die Bruchzahl $\frac{6}{4}$ definiert als die Menge aller Zahlenpaare, die sie in natürlicher Weise beschreiben. Es gilt

$$\frac{6}{4} = \{(3, 2), (6, 4), (9, 6), (12, 8), (15, 10), (18, 12), \dots\}.$$

Allgemein definieren wir nun für jedes Zahlenpaar $(a,b) \in \mathbb{N} \times \mathbb{N}^*$ die Bruchzahl $\frac{a}{b}$ mengentheoretisch durch

$$\frac{a}{b} = \{(m,n) \in \mathbb{N} \times \mathbb{N}^* \mid m : n = a : b\}.$$

Die Bruchzahl $\frac{a}{b}$ ist somit als die Menge aller Zahlenpaare (m,n) definiert, wo m und n im selben Verhältnis stehen wie a und b, wo also

$a \cdot n = b \cdot m$ gilt. Diese Definition trifft die Sache nun wirklich auf den Punkt. Betrachten wir zum Beispiel das Zahlenpaar $(15, 10)$. Die Bruchzahl $\frac{15}{10}$ ist dann gegeben durch $\frac{15}{10} = \{(m, n) \in \mathbb{N} \times \mathbb{N}^* \mid m : n = 15 : 10\}$. Aufzählend geschrieben gilt nun offensichtlich

$$\frac{15}{10} = \{(3, 2), (6, 4), (9, 6), (12, 8), (15, 10), (18, 12), \dots\}.$$

Es ist also die Bruchzahl $\frac{15}{10}$ als Menge identisch mit der Bruchzahl $\frac{6}{4}$! Es gilt also $\frac{15}{10} = \frac{6}{4}$ nicht bloß im Sinne einer suggestiven Verhältnisschreibweise $15 : 10 = 6 : 4$, sondern im Sinne der mengentheoretischen Identität. Die Mengen $\frac{15}{10}$ und $\frac{6}{4}$ sind identisch, weil sie dieselben Elemente haben. Zur Abrundung bilden wir auch noch, ausgehend vom Zahlenpaar $(3, 2)$, die Menge $\frac{3}{2} = \{(m, n) \in \mathbb{N} \times \mathbb{N}^* \mid m : n = 3 : 2\}$. Offensichtlich gilt wieder

$$\frac{3}{2} = \{(3, 2), (6, 4), (9, 6), (12, 8), (15, 10), (18, 12), \dots\}.$$

Es ist also im strengen mengentheoretischen Sinn auch $\frac{3}{2} = \frac{15}{10}$ bzw. $\frac{3}{2} = \frac{6}{4}$. Sinngemäß gilt das für jedes Paar (m, n), das die Bruchzahl $\frac{6}{4}$, also die Bruchzahl $\frac{3}{2}$ beschreibt: Für jedes Element (m, n) der Menge $\frac{3}{2}$ gilt $\frac{m}{n} = \frac{3}{2}$! Da die Menge $\frac{3}{2}$ durch die Eigenschaft $m : n = 3 : 2$ charakterisiert ist, gilt somit für beliebige Zahlen $m \in \mathbb{N}$ und $n \in \mathbb{N}^*$

$$\frac{m}{n} = \frac{3}{2} \text{ genau dann, wenn } m : n = 3 : 2 \text{ gilt.}$$

Allgemein gilt für beliebige Zahlenpaare $(a, b), (c, d) \in \mathbb{N} \times \mathbb{N}^*$

$$\frac{a}{b} = \frac{c}{d} \text{ genau dann, wenn } a : b = c : d \text{ bzw. } a \cdot d = b \cdot c \text{ gilt.}$$

Aus praktischen Gründen ist es schließlich zweckmäßig, nachdem wir die Bruchzahlen als Mengen von Zahlenpaaren sauber definiert haben, nun wiederum die Bruchzahlen selbst alle zu einer gemeinsamen Menge zusammenzufassen. Wir definieren

$$\mathbb{B} = \{\, \tfrac{a}{b} \mid (a,b) \in \mathbb{N} \times \mathbb{N}^* \,\}.$$

Die Menge $\mathbb{B}$ ist die Menge aller Bruchzahlen. Ein Objekt x liegt genau dann in $\mathbb{B}$, wenn es ein Zahlenpaar $(a, b) \in \mathbb{N} \times \mathbb{N}^*$ gibt, sodass $x = \tfrac{a}{b}$ gilt. Bevor wir uns nun dem Eigentlichen, d. h. dem Rechnen mit den Bruchzahlen zuwenden, stellen wir fest, dass $\mathbb{B}$ eine unendliche Menge ist. Tatsächlich enthält die Menge $\mathbb{B}$ ja alle Bruchzahlen der Form $\tfrac{n}{1}$ mit $n \in \mathbb{N}$. Für $n, m \in \mathbb{N}$ gilt nun $\tfrac{n}{1} = \tfrac{m}{1}$ genau dann, wenn $n \cdot 1 = 1 \cdot m$, also wenn $n = m$ gilt. Für zwei verschiedene natürliche Zahlen n und m sind daher auch die Bruchzahlen $\tfrac{n}{1}$ und $\tfrac{m}{1}$ verschieden. Da es unendlich viele natürliche Zahlen n gibt, gibt es daher auch unendlich viele Bruchzahlen der Form $\tfrac{n}{1}$. Umso mehr gibt es unendlich viele Bruchzahlen überhaupt. Nebenbei bemerkt ist auch jede Bruchzahl selbst eine unendliche Menge. Ist nämlich $\tfrac{a}{b} \in \mathbb{B}$, so gilt ja per definitionem nicht nur $(a,b) \in \tfrac{a}{b}$, sondern auch $(n \cdot a, n \cdot b) \in \tfrac{a}{b}$ für jede natürliche Zahl $n \neq 0$: Für jedes $n \in \mathbb{N}^*$ »beschreibt« das Paar $(n \cdot a, n \cdot b)$ die Bruchzahl $\tfrac{a}{b}$. Da $b \neq 0$ vorausgesetzt ist, sind die Zahlen $n \cdot b$ für $n = 1, 2, 3, \ldots$ und somit die Zahlenpaare $(n \cdot a, n \cdot b)$ für $n = 1, 2, 3, \ldots$ alle verschieden. Daher ist $\tfrac{a}{b}$ eine unendliche Menge, es gibt sozusagen unendlich viele Möglichkeiten, die Bruchzahl $\tfrac{a}{b}$ aufzuschreiben. Die Menge $\mathbb{B}$ ist schon ein kleines Ungetüm, sie ist eine unendliche Menge, deren Elemente alle selbst unendliche Mengen sind.

3.2 Bruchrechnen

Wenn drei natürliche Zahlen m, n, k durch die Gleichung $m \cdot k = n$ in Beziehung stehen, so nennt man m einen Teiler von n. So ist z. B. 5 ein Teiler von 35, weil $5 \cdot 7 = 35$. Dagegen ist 6 kein Teiler von 35, weil es keine natürliche Zahl k gibt, mit der sich die Beziehung $6 \cdot k = 35$ herstellt lässt, weil eben $6 \cdot k \neq 35$ für alle $k \in \mathbb{N}$ gilt. (Es ist ja $6 \cdot 5 = 30$ und daher $6 \cdot k \leq 30$ für $k \leq 5$, sowie $6 \cdot 6 = 36$ und daher $6 \cdot k \geq 36$ für $k \geq 6$.)

Ist nun $m \cdot k = n$ gegeben, dann gilt natürlich auch $m \cdot k = n \cdot 1$. Im Sinne unserer suggestiven Verhältnisschreibweise können wir dafür auch $m : n = 1 : k$ bzw. $n : m = k : 1$ schreiben. Wenn m ein Teiler von n ist, dann ist die Bruchzahl $\frac{n}{m}$ identisch mit einer Bruchzahl der Form $\frac{k}{1}$.

Wie wir beim Nachweis der Unendlichkeit der Menge $\mathbb{B}$ bereits gesehen haben, sind die Bruchzahlen $\frac{k}{1}$ für verschiedene Werte von $k \in \mathbb{N}$ stets verschieden. Die Menge aller Bruchzahlen der Form $\frac{k}{1}$ ist eine unendliche Teilmenge von $\mathbb{B}$. Wir wollen ihr eine eigene Bezeichnung geben und definieren

$$\mathbb{B}_\nu = \left\{ \frac{n}{1} \in \mathbb{B} \mid n \in \mathbb{N} \right\} = \left\{ \frac{0}{1},\ \frac{1}{1},\ \frac{2}{1},\ \frac{3}{1},\ \frac{4}{1},\ \frac{5}{1},\ \frac{6}{1},\ \frac{7}{1}, \dots \right\}.$$

In gewisser Weise kann man die Menge $\mathbb{B}_\nu$ als eine Kopie der Menge $\mathbb{N} = \{0,1,2,3,4,5,6,7,\dots\}$ ansehen. Es besteht eine offensichtliche Korrespondenz zwischen den Bruchzahlen $\frac{n}{1}$ und den natürlichen Zahlen n. Im Sinne einer axiomatischen Einführung der natürlichen Zahlen wie am Ende von 2.4 ist die Menge $\mathbb{B}_\nu$ ein mit $\mathbb{N}$ gleichwertiges Modell der Menge aller natürlichen Zahlen. Die Null in der Menge $\mathbb{B}_\nu$ ist die Bruchzahl $\frac{0}{1}$ und der Nachfolger der Zahl $\frac{n}{1}$ ist die Zahl $\frac{n+1}{1}$. Ferner kann man auf natürliche Weise die arithmetische Struktur der Menge $\mathbb{N}$ auf die Menge $\mathbb{B}_\nu$ übertragen: Wir definieren die Addition und die Multiplikation von Bruchzahlen in der Menge $\mathbb{B}_\nu$ durch

$$\frac{n}{1} + \frac{m}{1} = \frac{n+m}{1} \quad \text{und} \quad \frac{n}{1} \cdot \frac{m}{1} = \frac{n \cdot m}{1}.$$

Vom strukturellen Standpunkt sind die Mengen $\mathbb{N}$ und $\mathbb{B}_\nu$ sozusagen ununterscheidbar. In der Menge $\mathbb{B}_\nu$ kann man auf bekannte und bewährte Art genauso rechnen wie in der Menge $\mathbb{N}$: Für alle $a, b, c \in \mathbb{B}_\nu$

gelten die in 2.5 aufgelisteten Rechengesetze (KA), (AA), (KM), (AM) und (D). Unser Ziel ist es nun, die arithmetischen Operationen der Addition und Multiplikation von Bruchzahlen der speziellen Form $\frac{n}{1}$ auf alle Bruchzahlen dergestalt auszudehnen, dass die dann gewonnene arithmetische Struktur der gesamten Menge $\mathbb{B}$ auf der Teilmenge $\mathbb{B}_\nu$ mit der dort bereits vorhandenen, von $\mathbb{N}$ auf $\mathbb{B}_\nu$ übertragenen Struktur übereinstimmt.

Wir beginnen (wieder) mit der Multiplikation. Dazu fragen wir uns zunächst, wie man für spezielle Bruchzahlen $a,b \in \mathbb{B}_\nu$ das Produkt $a \cdot b$ berechnen kann, wenn a und b nicht automatisch in der Form $\frac{n}{1}$ angeschrieben sind. Wie kann man also für $\frac{m_1}{n_1}$, $\frac{m_2}{n_2} \in \mathbb{B}_\nu$ das Produkt $\frac{m_1}{n_1} \cdot \frac{m_2}{n_2} \in \mathbb{B}_\nu$ direkt berechnen, d.h. ohne den Umweg zu gehen, zuerst diejenigen Zahlen $k_1, k_2 \in \mathbb{N}$ suchen zu müssen, für die $\frac{m_1}{n_1} = \frac{k_1}{1}$ und $\frac{m_2}{n_2} = \frac{k_2}{1}$ gilt, um anschließend $\frac{m_1}{n_1} \cdot \frac{m_2}{n_2} = \frac{k_1}{1} \cdot \frac{k_2}{1} = \frac{k_1 \cdot k_2}{1}$ zu erhalten? Wie bekommt man z.B. direkt das Produkt von $\frac{323}{17} \in \mathbb{B}_\nu$ und $\frac{483}{23} \in \mathbb{B}_\nu$, ohne die beiden Bruchzahlen auf $\frac{323}{17} = \frac{19}{1}$ und $\frac{483}{23} = \frac{21}{1}$ »kürzen« zu müssen, um anschließend $\frac{323}{17} \cdot \frac{483}{23} = \frac{19}{1} \cdot \frac{21}{1} = \frac{19 \cdot 21}{1} \in \mathbb{B}_\nu$ zu erhalten?

Nun, offensichtlich gilt $\frac{323}{17} \cdot \frac{483}{23} = \frac{323 \cdot 483}{17 \cdot 23}$! Und allgemein gilt für zwei Bruchzahlen aus der Menge $\mathbb{B}_\nu$, die durch $\frac{m_1}{n_1}$ und $\frac{m_2}{n_2}$ mit $m_1, m_2 \in \mathbb{N}$ und $n_1, n_2 \in \mathbb{N}^*$, wo n_1 ein Teiler von m_1 und n_2 ein Teiler m_2 ist, dargestellt sind, $\frac{m_1}{n_1} \cdot \frac{m_2}{n_2} = \frac{m_1 \cdot m_2}{n_1 \cdot n_2}$. Das ist leicht verifiziert: Wenn $m_1 = k_1 \cdot n_1$ und $m_2 = k_2 \cdot n_2$ gegeben ist, sodass also $\frac{m_1}{n_1} = \frac{k_1}{1}$ und $\frac{m_2}{n_2} = \frac{k_2}{1}$ gilt, dann folgt $m_1 \cdot m_2 = (k_1 \cdot n_1) \cdot (k_2 \cdot n_2) = n_1 \cdot n_2 \cdot k_1 \cdot k_2$, somit $(m_1 \cdot m_2) \cdot 1 = (n_1 \cdot n_2) \cdot (k_1 \cdot k_2)$. Das heißt aber definitionsgemäß nichts anderes, als dass $\frac{m_1 \cdot m_2}{n_1 \cdot n_2} = \frac{k_1 \cdot k_2}{1}$ gilt. Da ferner ebenfalls definitionsgemäß $\frac{k_1 \cdot k_2}{1} = \frac{k_1}{1} \cdot \frac{k_2}{1} = \frac{m_1}{n_1} \cdot \frac{m_2}{n_2}$ gilt, ist schließlich $\frac{m_1}{n_1} \cdot \frac{m_2}{n_2} = \frac{m_1 \cdot m_2}{n_1 \cdot n_2}$ nachgewiesen.

Diese für die speziellen Bruchzahlen aus der Menge $\mathbb{B}_\nu$ allgemein gültige Formel ist nun unser Aufhänger für die Definition der Multiplikation von allgemeinen Bruchzahlen:

Für $\frac{a}{b}$, $\frac{c}{d} \in \mathbb{B}$ definieren wir $\frac{a}{b} \cdot \frac{c}{d} = \frac{a \cdot c}{b \cdot d}$.

Aber Obacht, nicht alles, was man mehr oder weniger sorglos hinschreibt, ist gleich eine Definition. Zunächst einmal muss für zwei Bruchzahlen $\frac{a}{b}$ und $\frac{c}{d}$ auch der Ausdruck $\frac{a \cdot c}{b \cdot d}$ wieder eine Bruchzahl sein. Dazu müssen wir sicher sein, dass $b \cdot d \neq 0$ gilt, denn sonst hätten wir etwas Unsinniges definiert. Da $\frac{a}{b}$ und $\frac{c}{d}$ Bruchzahlen sind, gilt automatisch $b \neq 0$ und $d \neq 0$. Da für zwei nichtleere Mengen B und D aber stets auch das Cartesische Produkt $B \times D$ eine nichtleere Menge ist, gilt für beliebige natürliche Zahlen $b \neq 0$ und $d \neq 0$ automatisch $b \cdot d \neq 0$! Ferner darf die Definition des Produktes zweier Bruchzahlen nicht von der Wahl ihrer Darstellungen $\frac{a}{b}$ und $\frac{c}{d}$ abhängen. Man muss sicher sein, wenn man z.B. die Bruchzahl $\frac{57}{87}$ in einer anderen Form, etwa durch $\frac{19}{29}$ anschreibt, und die Bruchzahl $\frac{23}{22}$ in einer anderen Form, etwa durch $\frac{161}{154}$ anschreibt, dass dann bei der Anwendung der Definition für das Produkt $\frac{57}{87} \cdot \frac{23}{22}$ genau dieselbe Bruchzahl herauskommt, wie wenn man definitionsgemäß das Produkt $\frac{19}{29} \cdot \frac{161}{154}$ ermittelt. Wenn man also z.B. $\frac{57}{87} = \frac{19}{29}$ und $\frac{23}{22} = \frac{161}{154}$ hat, dann muss eben $\frac{57 \cdot 23}{87 \cdot 22}$ dieselbe Bruchzahl sein wie $\frac{19 \cdot 161}{29 \cdot 154}$. Das ist glücklicherweise richtig, aber eben keine Selbstverständlichkeit!

Es ist also nachträglich zu bestätigen, dass die Definition der Multiplikation von Bruchzahlen in dieser Weise korrekt gegeben wurde. Dazu müssen wir Folgendes beweisen:

Wenn $a_1, a_2, c_1, c_2 \in \mathbb{N}$ und $b_1, b_2, d_1, d_2 \in \mathbb{N}^*$, sodass $\frac{a_1}{b_1} = \frac{a_2}{b_2}$ und $\frac{c_1}{d_1} = \frac{c_2}{d_2}$ gilt, dann muss $\frac{a_1 \cdot c_1}{b_1 \cdot d_1} = \frac{a_2 \cdot c_2}{b_2 \cdot d_2}$ gelten.

Um das nun zu beweisen, schreiben wir die beiden Voraussetzungen an:

(1) $\frac{a_1}{b_1} = \frac{a_2}{b_2}$ (2) $\frac{c_1}{d_1} = \frac{c_2}{d_2}$

Diese beiden Voraussetzungen heißen nichts anderes als:

(1a) $a_1 \cdot b_2 = b_1 \cdot a_2$ (2a) $c_1 \cdot d_2 = d_1 \cdot c_2$

Nun verknüpfen wir (1a) und (2a) und bekommen als Folgerung

$(a_1 \cdot b_2) \cdot (c_1 \cdot d_2) = (b_1 \cdot a_2) \cdot (d_1 \cdot c_2)$, also
$a_1 \cdot b_2 \cdot c_1 \cdot d_2 = b_1 \cdot a_2 \cdot d_1 \cdot c_2$, umgeschrieben
$a_1 \cdot c_1 \cdot b_2 \cdot d_2 = b_1 \cdot d_1 \cdot a_2 \cdot c_2$, genauer
$(a_1 \cdot c_1) \cdot (b_2 \cdot d_2) = (b_1 \cdot d_1) \cdot (a_2 \cdot c_2)$, was gleichbedeutend mit
$\frac{a_1 \cdot c_1}{b_1 \cdot d_1} = \frac{a_2 \cdot c_2}{b_2 \cdot d_2}$ ist.

Bevor wir uns der Addition der Bruchzahlen zuwenden, wollen wir noch einige wichtige Eigenschaften der Multiplikation zusammenfassen. Zunächst einmal gelten, wie erwünscht und wie sich direkt überprüfen lässt, die in 2.5 aufgelisteten Rechengesetze (KM) und (AM) für alle $a, b, c \in \mathbb{B}$. Ferner entspricht nicht nur formal, sondern auch strukturell der natürlichen Zahl 0 die Bruchzahl $\frac{0}{1}$ und der natürlichen Zahl 1 die Bruchzahl $\frac{1}{1}$. Es gilt nämlich offensichtlich für alle Bruchzahlen $\frac{m}{n}$

$\frac{0}{1} \cdot \frac{m}{n} = \frac{0}{1}$ und $\frac{1}{1} \cdot \frac{m}{n} = \frac{m}{n}$.

So wie die Menge $\mathbb{N}^*$ multiplikativ abgeschlossen ist, ist auch die Menge aller von $\frac{0}{1}$ verschiedenen Bruchzahlen multiplikativ abgeschlossen: Sind zwei natürliche bzw. Bruchzahlen von 0 bzw. $\frac{0}{1}$ verschieden, so gilt das auch für ihr Produkt. Es gilt also, wenn man abkürzend

$\mathbb{B}^* = \{ x \in \mathbb{B} \mid x \neq \frac{0}{1} \} = \{ \frac{m}{n} \in \mathbb{B} \mid m, n \in \mathbb{N}^* \}$

setzt, $x \cdot y \in \mathbb{B}^*$ für alle $x, y \in \mathbb{B}^*$. Im Zusammenhang mit der Multiplikation kann die Menge $\mathbb{B}^*$ noch mit einer fabelhaften Eigenschaft aufwarten, die der Menge $\mathbb{N}^*$ fremd ist: Bei beliebig vorgegebenen Zahlen $\sigma, \tau \in \mathbb{B}^*$ besitzt die Gleichung $\sigma \cdot x = \tau$ stets eine Lösung $x \in \mathbb{B}^*$! Vergleichbares gibt es nur in Ausnahmefällen in der Menge $\mathbb{N}^*$. Es ist, wie wir schon festgestellt haben, z. B. die Gleichung $6 \cdot x = 35$ mit $x \in \mathbb{N}^*$ unlösbar. In der Menge $\mathbb{B}^*$ dagegen sind solche Gleichungen stets lösbar. Man kann also im wahrsten Sinn des Wortes im Zahlbereich $\mathbb{B}^*$ eine beliebige Division, also die Umkehrung einer Multiplikation, stets ausführen. Das geschieht konkret auf denkbar einfachste Weise: Die eindeutig bestimmte Lösung $x \in \mathbb{B}^*$ der Gleichung $\frac{a}{b} \cdot x = \frac{c}{d}$ ist nämlich durch $x = \frac{b \cdot c}{a \cdot d}$ gegeben. Tatsächlich gilt definitionsgemäß $\frac{a}{b} \cdot \frac{b \cdot c}{a \cdot d} = \frac{a \cdot (b \cdot c)}{b \cdot (a \cdot d)} = \frac{(a \cdot b) \cdot c}{(a \cdot b) \cdot d} = \frac{a \cdot b}{a \cdot b} \cdot \frac{c}{d} = \frac{1}{1} \cdot \frac{c}{d} = \frac{c}{d}$, da $\frac{a \cdot b}{a \cdot b} = \frac{1}{1}$ trivialerweise wegen $(a \cdot b) \cdot 1 = (a \cdot b) \cdot 1$ gilt. Es ist also wirklich $x = \frac{b \cdot c}{a \cdot d}$ eine Lösung der Gleichung. Ja mehr noch: Diese Lösung ist eindeutig, d. h. es kann keine anderen Lösungen geben. Denn multipliziert man die Gleichung $\frac{a}{b} \cdot x = \frac{c}{d}$ »von links« mit der Bruchzahl $\frac{b}{a}$, so bekommt man die Gleichung $\frac{b}{a} \cdot (\frac{a}{b} \cdot x) = \frac{b}{a} \cdot \frac{c}{d}$, also unter Verwendung der Rechenregel (AM) die Gleichung $(\frac{b}{a} \cdot \frac{a}{b}) \cdot x = \frac{b}{a} \cdot \frac{c}{d}$, also $\frac{b \cdot a}{a \cdot b} \cdot x = \frac{b \cdot c}{a \cdot d}$. Wegen $\frac{b \cdot a}{a \cdot b} = \frac{a \cdot b}{a \cdot b} = \frac{1}{1}$ und $\frac{1}{1} \cdot x = x$ folgt daraus schließlich $x = \frac{b \cdot c}{a \cdot d}$.

Letztlich kann man in der unbeschränkten Möglichkeit der Division eine nachträgliche Rechtfertigung (neben der geometrischen Bedeutung der Verhältnisse von Längen – siehe 1.6) sehen, im Zahlbereich $\mathbb{N}$ bzw. $\mathbb{N}^*$ nicht das Auslangen zu finden, und den umfassenderen Zahlbereich $\mathbb{B}$ bzw. $\mathbb{B}^*$ überhaupt einzuführen. Bezeichnet man die eindeutig bestimmte Lösung $x \in \mathbb{B}^*$ der Gleichung $\sigma \cdot x = \tau$ suggestiv mit $\tau : \sigma$, so kann man schließlich dem für natürliche Zahlen n und m bis jetzt nur in Verbindung mit einer Verhältnisgleichung sinnvollen Ausdruck $n : m$ auch für sich genommen einen Sinn geben: Wenn n eine natürliche Zahl und $m \neq 0$ eine natürliche Zahl ist, dann tritt einer der beiden folgenden Fälle ein. Entweder ist m ein Teiler von n. Das heißt, die Gleichung $m \cdot x = n$ besitzt eine (eindeutige) Lösung $x \in \mathbb{N}$. Dann definieren wir den Ausdruck $n : m$ als diese Lösung, $n : m = x$. Oder es ist m kein Teiler von n. Dann setzen wir – der engen Korrespondenz zwischen den Mengen $\mathbb{N}$ und $\mathbb{B}_\nu$ eingedenk – $n : m = \frac{n}{m}$. Anders formuliert: Wenn die Division $n : m$ in $\mathbb{N}$ ausführbar ist, so setzen wir $n : m$ gleich dem Ergebnis dieser Division, wenn nicht, dann ist $n:m$ einfach gleich der Bruchzahl $\frac{n}{m}$. Dabei muss man allerdings aufpassen. Wenn man z. B. $12\,447\,916 : 957\,532$ betrachtet und nicht erkennt, dass $957\,532$ ein Teiler von $12\,447\,916$ ist, dann setzt man versehentlich $12\,447\,916 : 957\,532 = \frac{12\,447\,916}{957\,532}$. In Wirklichkeit ist aber – nach der soeben getroffenen Vereinbarung – $12\,447\,916 : 957\,532 = 13$! So schlimm ist das aber eigentlich auch wieder nicht. Es gilt doch jedenfalls $\frac{12\,447\,916}{957\,532} = \frac{13}{1}$, da $12\,447\,916 \cdot 1 = 957\,532 \cdot 13$ gilt. Der Unterschied zwischen der natürlichen Zahl 13 und der Bruchzahl $\frac{13}{1}$ ist ein rein mengentheoretischer. Vom strukturellen Standpunkt besteht, wie wir bereits festgestellt haben, überhaupt kein Unterschied zwischen der natürlichen Zahl 13 und der Bruchzahl $\frac{13}{1}$. Es ist daher zweckmäßig und üblich, die natürlichen Zahlen n mit den Bruchzahlen $\frac{n}{1}$ zu identifizieren, also unbekümmert $n = \frac{n}{1}$ zu schreiben und keine Rücksicht darauf zu nehmen, dass die Mengen n und $\frac{n}{1}$ verschieden sind.

Es gibt aber auch einen einwandfreien Weg, ohne diese (mengentheoretisch nicht korrekte) Identifikation zum selben Ziel zu gelangen. Der Punkt ist doch der, dass die Menge $\mathbb{B}_\nu$ eine »Kopie« der Menge $\mathbb{N}$ ist. Man tauscht einfach alle Elemente der Menge $\mathbb{B}$, die in der Teilmenge $\mathbb{B}_\nu$ liegen, durch die korrespondierenden Elemente der Menge $\mathbb{N}$ aus. Die Kopie $\mathbb{B}_\nu$ wird durch das Original $\mathbb{N}$ ersetzt. Was wir damit dann jedenfalls gewonnen haben ist, dass nunmehr die Menge $\mathbb{N}$ eine Teilmenge der Menge $\mathbb{B}$ darstellt. Insbesondere sind nun die beiden wichtigsten natürlichen Zahlen, nämlich 0 und 1, Elemente der Menge $\mathbb{B}$. Es gilt $0 \cdot x = 0$ und $1 \cdot x = x$ für alle $x \in \mathbb{B}$. Die Konstruktion des Zahlbereiches $\mathbb{B}$ wird damit zu einer Erweiterung des Zahlbereiches $\mathbb{N}$. Die auf $\mathbb{N}$ definierte Multiplikation wird auf natürliche Weise auf den umfassenderen Zahlbereich $\mathbb{B}$ ausgedehnt. Die folgende Formel zeigt, wie man sozusagen von dem großen Bereich $\mathbb{B}$ in den kleinen Bereich $\mathbb{N}$ »hineinspringen« kann: Für alle $a \in \mathbb{N}$ und alle $b \in \mathbb{N}^*$ gilt $\frac{a}{b} \cdot b = a$.

Nun wenden wir uns der Addition von Bruchzahlen zu. Ein wesentlicher Punkt, der zu beachten ist, wenn man die auf $\mathbb{N}$ definierte Addition sinnvoll auf den umfassenderen Zahlbereich $\mathbb{B}$ ausdehnen will, besteht darin, dass die zu definierende Addition auf $\mathbb{B}$ mit der auf $\mathbb{B}$ bereits vorhandenen Multiplikation kompatibel sein soll, d.h. dass für alle $a, b, c \in \mathbb{B}$ das Distributivgesetz (D), also $(a + b) \cdot c = (a \cdot c) + (b \cdot c)$ gelten soll.

Wenn man das erreichen will, hat man erstaunlicherweise überhaupt keine Wahl: Es gibt nur eine einzige Möglichkeit, die Addition für Bruchzahlen zu definieren, sodass das Rechengesetz (D) gültig ist! Tun wir mal so, als hätten wir die Summe $\frac{a}{b} + \frac{c}{d}$ zweier Bruchzahlen $\frac{a}{b}$ und $\frac{c}{d}$ schon definiert. Unter Anwendung der Rechenregel (D) bekommen wir $(\frac{a}{b} + \frac{c}{d}) \cdot (b \cdot d) = (\frac{a}{b} \cdot (b \cdot d)) + (\frac{c}{d} \cdot (b \cdot d)) = ((\frac{a}{b} \cdot b) \cdot d) + ((\frac{c}{d} \cdot d) \cdot b) = (a \cdot d) + (c \cdot b)$, wobei wir natürlich auch die Regeln (AM) und (KM) sowie beim letzten Schritt die »von $\mathbb{B}$ in $\mathbb{N}$ Hineinspring«-Regel verwendet haben. Wir haben somit

$$(\tfrac{a}{b} + \tfrac{c}{d}) \cdot (b \cdot d) = (a \cdot d) + (c \cdot b).$$

Nach der »von $\mathbb{B}$ in $\mathbb{N}$ Hineinspring«-Regel gilt aber andererseits

$$\tfrac{(a \cdot d) + (c \cdot b)}{b \cdot d} \cdot (b \cdot d) = (a \cdot d) + (c \cdot b).$$

Da die Gleichung $x \cdot (b \cdot d) = (a \cdot d) + (c \cdot b)$ wegen $b \cdot d \neq 0$ genau eine Lösung $x \in \mathbb{B}$ hat, muss daher die Beziehung

$$\tfrac{a}{b} + \tfrac{c}{d} = \tfrac{(a \cdot d) + (c \cdot b)}{b \cdot d}$$

gelten, die somit die gewünschte Definition der Addition im Zahlbereich $\mathbb{B}$ darstellt. Selbstverständlich ist (wie bei der Multiplikation) die Korrektheit dieser Definition der Addition von Bruchzahlen zu überprüfen. Es darf (wie bei der Definition des Produkts) die Definition der Summe zweier Bruchzahlen nicht von der Wahl ihrer Darstellungen abhängen. Da man den Nachweis ähnlich wie bei der Multiplikation führen kann, wollen wir darauf verzichten. Dass die Addition das Kommutativgesetz (KA) erfüllt, ist evident. Etwas anders ist es mit dem Assoziativgesetz (AA). Eine Überprüfung desselben ist zwar auch nicht allzu schwierig, aber ein wenig herumrechnen muss man dazu schon, was wir uns aber ersparen wollen. Schließlich muss auch das Distributivgesetz überprüft werden. Wir haben zwar aus diesem Gesetz die Definition der Addition hergeleitet, aber es muss ja auch umgekehrt die Definition so gemacht worden sein, dass das Gesetz (D) gilt. Das zu überprüfen ist aber nicht allzu schwierig, sodass wir ebenfalls darauf verzichten.

Abschließend wollen wir noch festhalten, wie man zwei Bruchzahlen ganz einfach addieren kann, wenn die Darstellungen $\frac{a}{b}$ und $\frac{c}{d}$ so gewählt sind, dass die beiden Nenner identisch sind, d.h. wenn b = d gilt. Wegen $\frac{a}{b} + \frac{c}{b} = \frac{(a \cdot b) + (c \cdot b)}{b \cdot b} = \frac{(a+c) \cdot b}{b \cdot b} = \frac{(a+c)}{b} \cdot \frac{b}{b} = \frac{(a+c)}{b} \cdot \frac{1}{1} = \frac{(a+c)}{b} \cdot 1$ gilt einfach $\frac{a}{b} + \frac{c}{b} = \frac{(a+c)}{b}$.

3.3 Größenvergleich

Im vorigen Kapitel haben wir den Bereich $\mathbb{N}$ der natürlichen Zahlen zum Bereich $\mathbb{B}$ der Bruchzahlen erweitert und die Operationen des Addierens und Multiplizierens vom Zahlbereich $\mathbb{N}$ auf den umfassenderen Zahlbereich $\mathbb{B}$ ausgedehnt. Es gibt aber noch eine weitere wichtige Struktur auf dem Bereich $\mathbb{N}$, die sinnvoll auf den Bereich $\mathbb{B}$ ausgedehnt werden kann, nämlich die natürliche Ordnung auf der Menge $\mathbb{N}$.

Dazu rufen wir die in 2.2 angeführte arithmetische Charakterisierung dieser Ordnung in Erinnerung: Für natürliche Zahlen n und m gilt $n < m$ genau dann, wenn es eine natürliche Zahl $k \neq 0$ gibt, sodass $n + k = m$ gilt. Das lässt sich leicht zu einer Definition der Ordnung auf der Menge $\mathbb{B}$ verallgemeinern. Wir legen somit fest:

Für Bruchzahlen a und b gilt $a < b$, wenn es eine Bruchzahl $c \neq 0$ gibt, sodass $a + c = b$ gilt.

Selbstverständlich ändert diese Definition der Ordnung nichts an der bereits bestehenden Ordnung auf der Menge $\mathbb{N}$, die ja nach unserer Vereinbarung nunmehr als Teilmenge von $\mathbb{B}$ anzusehen ist: Genau dann gilt $n < m$ für zwei natürliche Zahlen n und m, wenn $n < m$ im Sinne der neuen Definition für die nunmehr als Bruchzahlen aufgefassten natürlichen Zahlen n und m gilt. Wir geben nun ein praktisches Kriterium, mit dem sich die Ordnung zweier Bruchzahlen leichter feststellen lässt, als wenn man die etwas umständliche Definition der Ordnung handzuhaben versucht.

Für $m_1, m_2 \in \mathbb{N}$ und $n_1, n_2 \in \mathbb{N}^*$ gilt $\frac{m_1}{n_1} < \frac{m_2}{n_2}$ genau dann, wenn $m_1 \cdot n_2 < n_1 \cdot m_2$ gilt.

Damit kann man direkt feststellen, dass z.B. $\frac{131}{416} < \frac{23}{73}$ gilt, ohne erst umständlich die Beziehung $\frac{131}{416} + \frac{5}{30\,368} = \frac{23}{73}$ finden zu müssen.

Wir wollen nun dieses Kriterium beweisen. Angenommen, es gilt $\frac{m_1}{n_1} < \frac{m_2}{n_2}$. Definitionsgemäß gibt es dann eine Bruchzahl $\frac{x}{y}$ mit $x, y \in \mathbb{N}^*$, sodass $\frac{m_1}{n_1} + \frac{x}{y} = \frac{m_2}{n_2}$. Die linke Seite dieser Gleichung rechnen wir gemäß der in 3.2 gegebenen Addition von Bruchzahlen aus und erhalten $\frac{(m_1 \cdot y) + (x \cdot n_1)}{n_1 \cdot y}$. Mit der »von $\mathbb{B}$ in $\mathbb{N}$ Hineinspring«-Regel folgt

$$\frac{(m_1 \cdot y) + (x \cdot n_1)}{n_1 \cdot y} \cdot (n_1 \cdot n_2 \cdot y) = \left(\frac{(m_1 \cdot y) + (x \cdot n_1)}{n_1 \cdot y} \cdot (n_1 \cdot y) \right) \cdot n_2 =$$
$$((m_1 \cdot y) + (x \cdot n_1)) \cdot n_2 = (m_1 \cdot y \cdot n_2) + (x \cdot n_1 \cdot n_2).$$

Multipliziert man die rechte Seite der ursprünglichen Gleichung ebenfalls mit $n_1 \cdot n_2 \cdot y$, so bekommt man

$$\frac{m_2}{n_2} \cdot (n_1 \cdot n_2 \cdot y) = \left(\frac{m_2}{n_2} \cdot n_2 \right) \cdot (n_1 \cdot y) = m_2 \cdot n_1 \cdot y.$$

Insgesamt erhalten wir somit $(m_1 \cdot y \cdot n_2) + (x \cdot n_1 \cdot n_2) = m_2 \cdot n_1 \cdot y$. Folglich gilt $m_1 \cdot y \cdot n_2 < m_2 \cdot n_1 \cdot y$, umgeschrieben heißt das $(m_1 \cdot n_2) \cdot y < (n_1 \cdot m_2) \cdot y$. Dann muss aber $(m_1 \cdot n_2) < (n_1 \cdot m_2)$ gelten, denn (vgl. die Definition der

Multiplikation) allgemein enthält die Menge $A \times Y$ nur dann weniger Elemente als die Menge $B \times Y$, wenn bereits A weniger Elemente als B enthält. Zwischenbilanz: Wir haben gezeigt, dass unsere Annahme $\frac{m_1}{n_1} < \frac{m_2}{n_2}$ die Konsequenz $m_1 \cdot n_2 < n_1 \cdot m_2$ nach sich zieht. Um den Beweis des Kriteriums abzuschließen, müssen wir jetzt auch noch die Umkehrung zeigen. Angenommen also, es gilt $m_1 \cdot n_2 < n_1 \cdot m_2$. Definitionsgemäß gibt es dann eine Bruchzahl (sogar eine natürliche Zahl) $b \neq 0$, sodass $(m_1 \cdot n_2) + b = n_1 \cdot m_2$. Wir multiplizieren nun beide Seiten dieser Gleichung mit der Bruchzahl $\frac{1}{n_1 \cdot n_2}$. (Man beachte, dass $n_1 \cdot n_2 \neq 0$ wegen der Voraussetzung $n_1, n_2 \in \mathbb{N}^*$ gesichert ist.) Die linke Seite der Gleichung wird dadurch folgendermaßen umgeschrieben:

$$((m_1 \cdot n_2) + b) \cdot \frac{1}{n_1 \cdot n_2} = \left(\frac{m_1 \cdot n_2}{1} + b\right) \cdot \frac{1}{n_1 \cdot n_2} =$$

$$\left(\frac{m_1 \cdot n_2}{1} \cdot \frac{1}{n_1 \cdot n_2}\right) + b \cdot \frac{1}{n_1 \cdot n_2} = \frac{(m_1 \cdot n_2) \cdot 1}{1 \cdot (n_1 \cdot n_2)} + b \cdot \frac{1}{n_1 \cdot n_2} = \frac{m_1 \cdot n_2}{n_1 \cdot n_2} + b \cdot \frac{1}{n_1 \cdot n_2} =$$

$$\left(\frac{m_1}{n_1} \cdot \frac{n_2}{n_2}\right) + b \cdot \frac{1}{n_1 \cdot n_2} = \left(\frac{m_1}{n_1} \cdot 1\right) + b \cdot \frac{1}{n_1 \cdot n_2} = \frac{m_1}{n_1} + b \cdot \frac{1}{n_1 \cdot n_2}.$$

Multipliziert man nun auch die rechte Seite der ursprünglichen Gleichung mit der Bruchzahl $\frac{1}{n_1 \cdot n_2}$, so bekommt man

$$(n_1 \cdot m_2) \cdot \frac{1}{n_1 \cdot n_2} = \frac{n_1 \cdot m_2}{1} \cdot \frac{1}{n_1 \cdot n_2} = \frac{n_1 \cdot m_2}{n_1 \cdot n_2} = \frac{n_1}{n_1} \cdot \frac{m_2}{n_2} = 1 \cdot \frac{m_2}{n_2} = \frac{m_2}{n_2}.$$

Insgesamt erhalten wir daher $\frac{m_1}{n_1} + c = \frac{m_2}{n_2}$, wenn wir die Bruchzahl $b \cdot \frac{1}{n_1 \cdot n_2}$ abkürzend mit c bezeichnen. Definitionsgemäß gilt somit $\frac{m_1}{n_1} < \frac{m_2}{n_2}$. Die Annahme $m_1 \cdot n_2 < n_1 \cdot m_2$ hat also wirklich die Konsequenz $\frac{m_1}{n_1} < \frac{m_2}{n_2}$ und der Beweis des Kriteriums ist damit abgeschlossen. Unter Berücksichtigung der Tatsache, dass für beliebig vorgegebene Zahlen $m_1, m_2 \in \mathbb{N}$ und $n_1, n_2 \in \mathbb{N}^*$ stets entweder $m_1 \cdot n_2 < n_1 \cdot m_2$ oder $n_1 \cdot m_2 < m_1 \cdot n_2$ oder $m_1 \cdot n_2 = n_1 \cdot m_2$ gilt, erhalten wir als unmittelbare Konsequenz aus dem soeben bewiesenen Kriterium:

Für Bruchzahlen a, b gilt stets entweder $a < b$ oder $b < a$ oder $a = b$.

Das ist auch das mindeste, was man sich von einer Ordnung auf der Menge $\mathbb{B}$ aller Bruchzahlen erwartet: Wenn immer zwei verschiedene Bruchzahlen a und b vorliegen, dann ist entweder a kleiner als b oder b kleiner als a. Die Bruchzahlen sind nach ihrer »Größe« vergleichbar. Im Wesen der Vergleichbarkeit von »Größen« liegt auch die folgende Eigenschaft:

Sind a, b und c drei Bruchzahlen, dann gilt sicher $a < c$, wenn sowohl $a < b$ als auch $b < c$ gilt.

Das kann man leicht direkt aus der Definition ableiten: $a < b$ und $b < c$ ist gleichbedeutend mit der Existenz von Bruchzahlen $x, y \neq 0$, sodass $a + x = b$ und $b + y = c$. Indem man b in der zweiten Gleichung durch die linke Seite der ersten Gleichung ersetzt, bekommt man $(a + x) + y = c$, also $a + (x + y) = c$. Wegen $x + y \neq 0$ ist dies gleichbedeutend mit $a < c$.

Strukturell unterscheidet sich die natürliche Ordnung auf $\mathbb{B}$ extrem von der natürlichen Ordnung auf $\mathbb{N}$. Zwischen zwei natürlichen Zahlen liegen immer nur endlich viele natürliche Zahlen, d.h. für $m, n \in \mathbb{N}$ ist die Menge $\{k \in \mathbb{N} \mid m < k < n\}$ stets eine endliche Menge, wobei diese Menge im Falle $n \leq m + 1$ leer ist. (Die Schreibweise $x < y < z$ ist eine suggestive Abkürzung für die Kombination der beiden Aussagen $x < y$ und $y < z$.) Dagegen liegen zwischen zwei verschiedenen Bruchzahlen immer unendlich viele weitere Bruchzahlen:

Wenn $a, b \in \mathbb{B}$ und $a < b$, dann ist $\{x \in \mathbb{B} \mid a < x < b\}$ eine unendliche Menge.

Um diesen Sachverhalt zu beweisen, genügt es zu zeigen, dass zwischen zwei Bruchzahlen stets eine dritte liegt. Denn dann gibt es bei gegebenen Bruchzahlen a und b, wo $a < b$ gilt, sicher eine Bruchzahl b_1 mit $a < b_1 < b$. Ferner gibt es dann eine zweite Bruchzahl b_2 mit $b_1 < b_2 < b$. Ferner gibt es dann eine dritte Bruchzahl b_3 mit $b_2 < b_3 < b$. Ferner gibt es dann eine vierte Bruchzahl b_4 mit $b_3 < b_4 < b$. Dieses Spiel kann man ohne Ende fortsetzen und damit eine unendliche Menge $\{b_1, b_2, b_3, b_4, \dots\}$ von Bruchzahlen kreieren, die alle zwischen a und b liegen. Um nun wenigstens eine Bruchzahl angeben zu können, die zwischen zwei vorgegebenen Bruchzahlen liegt, stellen wir fest:

Wenn $\frac{m_1}{n_1} < \frac{m_2}{n_2}$, dann $\frac{m_1}{n_1} < \frac{m_1 + m_2}{n_1 + n_2} < \frac{m_2}{n_2}$.

Zum Beweis dieses Satzes ist zu zeigen, dass sowohl $\frac{m_1}{n_1} < \frac{m_1 + m_2}{n_1 + n_2}$ als auch $\frac{m_1 + m_2}{n_1 + n_2} < \frac{m_2}{n_2}$ gilt, wenn $\frac{m_1}{n_1} < \frac{m_2}{n_2}$ vorausgesetzt ist. Nach unserem Kriterium heißt das, dass die Voraussetzung $m_1 \cdot n_2 < n_1 \cdot m_2$ die Konsequenz haben sollte, dass sowohl $m_1 \cdot (n_1 + n_2) < n_1 \cdot (m_1 + m_2)$ als auch $(m_1 + m_2) \cdot n_2 < m_2 \cdot (n_1 + n_2)$ gilt. Aus der Voraussetzung $m_1 \cdot n_2 < n_1 \cdot m_2$ bekommt man

$(m_1 \cdot n_2) + (m_1 \cdot n_1) < (n_1 \cdot m_2) + (m_1 \cdot n_1)$, umgeschrieben also
$(n_1 \cdot m_1) + (n_2 \cdot m_1) < (m_1 \cdot n_1) + (m_2 \cdot n_1)$, mit Regel (D) also
$(n_1 + n_2) \cdot m_1 < (m_1 + m_2) \cdot n_1$ bzw.
$m_1 \cdot (n_1 + n_2) < n_1 \cdot (m_1 + m_2)$.

Dabei haben wir im ersten Schritt die unmittelbar einleuchtende Regel verwendet, dass für natürliche Zahlen a, b und c stets $a + c < b + c$ aus $a < b$ folgt. Auf analoge Weise kann man aus der Voraussetzung $m_1 \cdot n_2 < n_1 \cdot m_2$ auch die Konsequenz $(m_1 + m_2) \cdot n_2 < m_2 \cdot (n_1 + n_2)$ ableiten.

Da nun sichergestellt ist, dass $\{x \in \mathbb{B} \mid a < x < b\}$ eine unendliche Menge für beliebig gewählte $a, b \in \mathbb{B}$ mit $a < b$ ist, gilt dies insbesondere für den Spezialfall $a = 0$. Die Aussage $0 < b$ ist aber für Bruchzahlen b gleichbedeutend mit $b \neq 0$. Für $b \neq 0$ ist daher $\{x \in \mathbb{B} \mid 0 < x < b\}$

und somit auch $\{x \in \mathbb{B} \mid x < b\}$ stets eine unendliche Menge. Da Mengen der Form $\{x \in \mathbb{B} \mid x < b\}$ an späterer Stelle eine wichtige Rolle spielen werden, geben wir ihnen bereits jetzt einen eigenen Namen und eine eigene Bezeichnungsweise:

Für $b \in \mathbb{B}$ setzen wir $[b] = \{x \in \mathbb{B} \mid x < b\}$. Die Menge $[b]$ heißt ein Abschnitt von $\mathbb{B}$.

Man beachte, dass per definitionem $[0] = \emptyset$ gilt. Im Falle $b \neq 0$, also für alle $b \in \mathbb{B}^*$ ist der Abschnitt $[b]$ eine unendliche Teilmenge von $\mathbb{B}$. Da stets $b \notin [b]$ gilt, ist die Menge $[b]$ grundsätzlich verschieden von $\mathbb{B}$.

Mit Hilfe der Abschnitte lässt sich nun offensichtlich die natürliche Ordnung der Bruchzahlen mengentheoretisch kurz und bündig formulieren:

Für $b_1, b_2 \in \mathbb{B}$ gilt $b_1 \leq b_2$ genau dann, wenn $[b_1] \subset [b_2]$ gilt.

Insbesondere gilt $[b_1] \subset [b_2]$ oder $[b_2] \subset [b_1]$ für alle Abschnitte $[b_1], [b_2]$, die Abschnitte sind »ineinandergeschachtelt«. Ferner erfüllen alle Abschnitte $[b]$ die folgenden Eigenschaften:

(Ab1) Sind $x, y \in \mathbb{B}$, sodass $x < y$ und $y \in [b]$, dann gilt $x \in [b]$.
(Ab2) Zu jedem $x \in [b]$ gibt es mindestens ein $y \in [b]$, sodass $x < y$.

Für den Spezialfall $[b] = \emptyset$, also für $b = 0$ gelten die beiden Eigenschaften aus den bekannten logischen Gründen (vgl. 2.3). Im allgemeinen Fall stellen sie eine unmittelbare Folgerung aus der Definition der Mengen $[b]$ und den elementaren Eigenschaften der Ordnung auf $\mathbb{B}$ dar. (Ab2) besagt, dass es in einem Abschnitt $[b]$ niemals ein größtes Element gibt, d. h. es gibt kein $c \in \mathbb{B}$ mit dem man $[b] = \{x \in \mathbb{B} \mid x \leq c\}$ schreiben könnte.

3.4 Die geometrische Bedeutung der Bruchzahlen

In 1.6 haben wir bereits den Begriff *Verhältnis der Längen* zweier Strecken thematisiert. Wenn man dabei eine der beiden Strecken als fix, die andere als variabel betrachtet, kommt man auf natürliche Weise zu einer geometrischen Interpretation der Bruchzahlen. Konkret betrachten wir irgendeine fixe Strecke AE mit Anfangspunkt A und Endpunkt E:

$A \text{————————} E$

Diese Strecke wollen wir Einheitsstrecke nennen. Ihre Länge sei eine Einheit, z.B. ein Meter, ein Zoll, ein Lichtjahr. Wir sagen kurz: Die Strecke AE hat die Länge 1. Liegt nun eine zweite Strecke AF

$A \text{——————————————} F$

mit demselben Anfangspunkt vor, die mit der Einheitsstrecke etwa im Verhältnis 7:4 steht, so sagen wir: Die Strecke AF hat die Länge $\frac{7}{4}$. Geometrisch bedeutet dies eben, wenn man die Strecke AE in vier gleich lange Teilstrecken aufteilt und die erste, beim Punkt A beginnende Teilstrecke siebenmal hintereinanderlegt, dass man dann die Strecke AF erhält.

Allgemein kann man jeder Bruchzahl $\frac{m}{n} \neq 0$ diejenige Strecke AB zuordnen, die – bezogen auf die Einheitsstrecke AE – die Länge $\frac{m}{n}$ hat. Man teilt die Einheitsstrecke AE in n gleich lange Teilstrecken auf und legt die erste, beim Punkt A beginnende Teilstrecke m-mal hintereinander, um die Strecke AB zu erhalten. Die so erhaltene Strecke ist natürlich kürzer als die Einheitsstrecke, wenn $m < n$, d.h. wenn $\frac{m}{n} < 1$ gilt, sie ist länger als die Einheitsstrecke, wenn $m > n$, d.h. wenn $\frac{m}{n} > 1$ gilt, sie ist gleich lang wie die Einheitsstrecke, wenn $m = n$, d.h. wenn $\frac{m}{n} = 1$ gilt.

Auf diese Weise kann man jeder Bruchzahl $b \in \mathbb{B}^*$ eine eindeutig bestimmte Strecke AB zuordnen. Wenn man den Punkt A selbst als Strecke der Länge 0 auffasst, dann kann man diese »Strecke« der Zahl 0 zuordnen. Somit kann man ausnahmslos jeder Bruchzahl $b \in \mathbb{B}$ genau eine Strecke AB zuordnen.

Das Manko mit den Bruchzahlen ist nun aber, dass man nicht auch umgekehrt jeder Strecke AB eine Bruchzahl b zuordnen kann. Bilden nämlich zwei Exemplare der Einheitsstrecke

die Katheten eines rechtwinkeligen Dreiecks, so ist die Hypotenuse dieses Dreiecks eine Strecke, die – wie wir in 1.7 gesehen haben – mit der Einheitsstrecke nicht kommensurabel ist. Wenn man also die Strecke AH betrachtet, die genauso lang wie diese Hypotenuse ist, dann stehen die Strecken AE und AH in überhaupt keinem Verhältnis zueinander:

Welche Bruchzahl b man auch immer hernimmt, um die korrespondierende Strecke AB zu betrachten, stets ist der Endpunkt B verschieden vom Endpunkt H. Wie wir in 1.7 gesehen haben, ist letztlich der Hauptsatz der Zahlentheorie »schuld« an dieser Misere. Wäre h eine Bruchzahl, der die Strecke AH zugeordnet wäre, dann müsste – da nach dem pythagoreischen Lehrsatz das Quadrat der Länge von AH

gleich dem Doppelten des Quadrats der Länge von AE ist – $h^2 = 2 \cdot 1^2 = 2$ gelten. (Auch wenn wir es nie streng definiert haben, ist klar, dass allgemein a^2 eine abkürzende Schreibweise für $a \cdot a$ darstellt.) Schreibt man die Bruchzahl h in der Form $\frac{m}{n}$ mit $m, n \in \mathbb{N}^*$ auf, dann müsste eben $(\frac{m}{n})^2 = \frac{m}{n} \cdot \frac{m}{n} = \frac{m^2}{n^2} = 2$, also nach der »von $\mathbb{B}$ in $\mathbb{N}$ Hineinspring«-Regel $m^2 = 2 \cdot n^2$ gelten. Dass dies aber für natürliche Zahlen m und n unmöglich ist, haben wir unter Berufung auf die eindeutige Primfaktorenzerlegung natürlicher Zahlen in 1.7 bewiesen.

Ein Ausnahmefall? Weit gefehlt! Nicht nur kann man leicht mit Hilfe elementargeometrischer Konstruktionen beliebig viele Strecken konstruieren, die alle in keinem Verhältnis zur Einheitsstrecke stehen, es gibt – wie wir in den Vertiefungen beweisen – sogar »mehr« Strecken, denen keine Bruchzahl entspricht, als Strecken, die man Bruchzahlen zuordnen kann. Die Menge $\mathbb{B}$ ist einfach zu »schmächtig«, um ein adäquates Konzept des Begriffs Länge einer Strecke zu liefern. Im Moment stehen wir noch vor derselben Misere wie die alten Griechen. Uns jedoch ist es vergönnt, einen Ausweg aus dieser Misere zu finden, der ohne Übertreibung als große Errungenschaft der Geistesgeschichte bezeichnet werden kann.

4 DIE ZAHLENGERADE

4.1 Die Quadratwurzel aus 2

Wenn man die »Länge« der Strecke AH des vorigen Kapitels, die im Moment noch einen sinnlosen Begriff darstellt, als »Zahl« ansehen will, so kann man zunächst einmal nach dem Motto *Mag ich es auch nicht kennen, kann ich es doch benennen* verfahren und dieser »Zahl« das Symbol $\sqrt{2}$ zuweisen. Denn wenn wir unser Ziel erreichen, Ausdrücken wie $\sqrt{2}$ Sinn zu verleihen, sie auf natürliche Weise als Zahlen zu definieren, mit denen man rechnen kann, so wird dann $\sqrt{2}$ eine

Zahl sein, für die $\sqrt{2} \cdot \sqrt{2} = 2$ gilt. In weiterer Folge wird die Definition eines geeigneten, über die Bruchzahlen hinausgehenden Zahlbegriffs, die natürlich korrekt im Rahmen der Mengenlehre durchzuführen ist, auch – gleichsam im Vorbeigehen – eine mengentheoretische Fundierung des geometrischen Begriffs *Strecke* ermöglichen.

Wie soll man nun konkret $\sqrt{2}$ als Zahl definieren? Was wäre das Wesen dieser Zahl? Dazu betrachten wir, im Bemühen eine Analogie zu Bekanntem herzustellen, die Bruchzahl $\sqrt{9}$. Denn zweifelsohne ist $\sqrt{9}$ eine Bruchzahl, ja sogar eine natürliche Zahl. So wie $\sqrt{2}$ eine »Zahl« sein soll, für die $\sqrt{2} \cdot \sqrt{2} = 2$ gilt, ist $\sqrt{9}$ wirklich eine Zahl, für die $\sqrt{9} \cdot \sqrt{9} = 9$ gilt. Es ist $\sqrt{9}$ identisch mit der Zahl 3, denn $3^2 = 3 \cdot 3 = 9$.

Zunächst einmal stellen wir fest, dass $x^2 < 9$ für eine Bruchzahl x gilt, wenn $x < 3$ vorausgesetzt wird. Tatsächlich ist ja $x < 3$ gleichbedeutend mit der Existenz einer Bruchzahl $y \neq 0$, sodass $x + y = 3$ erfüllt ist. Es ist dann $(x+y)^2 = 3^2 = 9$, was für $z = (x \cdot y) + (y \cdot x) + y^2$ wegen $(x+y)^2 = (x+y) \cdot (x+y) = (x \cdot (x+y)) + (y \cdot (x+y)) = (x \cdot x) + (x \cdot y) + (y \cdot x) + (y \cdot y) = x^2 + z$ gleichbedeutend mit $x^2 + z = 9$ ist. Da wegen $y \neq 0$ automatisch auch $z \neq 0$ gesichert ist, heißt das wiederum nichts anderes als $x^2 < 9$.

Auf analoge Weise kann man leicht nachweisen, dass auch $9 < x^2$ für alle Bruchzahlen x gilt, für die $3 < x$ vorausgesetzt wird. Daher ist $x^2 = 9$ für $x \in \mathbb{B}$ gleichbedeutend mit $x = 3$ und für eine Bruchzahl x ist die Aussage $x^2 < 9$ äquivalent mit der Aussage $x < 3$. Daher ist die Menge

$$M_9 = \{x \in \mathbb{B} \mid x^2 < 9\}$$

gemäß unserer Definition in 3.3 identisch mit dem Abschnitt

$$[3] = \{x \in \mathbb{B} \mid x < 3\}.$$

Der Clou bei der Geschichte ist nun der, dass man zur Beschreibung der Menge M_9 die Zahl $3 = \sqrt{9}$ gar nicht benötigt. Das Wesen dieser

Zahl wird sozusagen durch die Menge M_9 erfasst, durch die Menge M_9 ist die Zahl $\sqrt{9}$ eindeutig bestimmt: Es gibt genau eine Bruchzahl b dergestalt, dass die Aussage $x < b$ für alle Bruchzahlen x, die in M_9 liegen, richtig und dass die Aussage $x < b$ für alle Bruchzahlen x, die nicht in M_9 liegen, falsch ist. Dieses eindeutig bestimmte b ist eben die Zahl 3.

Jetzt stellen wir eine Analogie zu $\sqrt{2}$ her. So wie man zur Bildung der Menge $\{x \in \mathbb{B} \mid x^2 < 9\}$, die das Wesen der Zahl $\sqrt{9}$ erfasst, die Zahl $\sqrt{9}$ selbst gar nicht benötigt, können wir im Bestreben, das Wesen des Objekts $\sqrt{2}$ zu erfassen, das wir als »Zahl« tatsächlich gar nicht bzw. noch nicht kennen, jedenfalls die Menge

$$M_2 = \{x \in \mathbb{B} \mid x^2 < 2\}$$

bilden. Um dem Wesen von $\sqrt{2}$ näher zu kommen, wollen wir nun die Menge M_2 genauer untersuchen. Zunächst einmal erkennen wir, dass M_2 eine unendliche Teilmenge von $\mathbb{B}$ ist. Denn wegen $1^2 = 1 < 2$ gilt $1 \in M_2$ und, da für jede Bruchzahl $x < 1$ automatisch (wie man leicht nachweisen kann) $x^2 < 1$ gilt, enthält die Menge M_2 zumindest alle Bruchzahlen $x < 1$, von denen es, wie wir in 3.3 festgestellt haben, unendlich viele gibt. Ferner erfüllt die Menge M_2 folgende Eigenschaft:

($M_2$1) Sind $x, y \in \mathbb{B}$, sodass $x < y$ und $y \in M_2$, dann gilt $x \in M_2$.

Beweis: Für beliebige Bruchzahlen x und y ist, wie man analog der vorher gezeigten Äquivalenz von $x^2 < 3^2$ und $x < 3$ leicht allgemein zeigen kann, die Aussage $x^2 < y^2$ äquivalent mit der Aussage $x < y$. Ist nun $y \in M_2$, also $y^2 < 2$ vorausgesetzt, so folgt aus $x < y$ bzw. $x^2 < y^2$ sofort $x^2 < 2$, also $x \in M_2$.

Auch die folgende Eigenschaft erfüllt die Menge M_2:

(M₂2) Zu jedem $x \in M_2$ gibt es mindestens ein $y \in M_2$, sodass $x < y$.

Beweis: Wegen der prinzipiellen Äquivalenz von $x < y$ und $x^2 < y^2$ für Bruchzahlen x und y genügt es zu zeigen, dass es zu jeder Bruchzahl x mit $x^2 < 2$ mindestens eine Bruchzahl y gibt, sodass $x^2 < y^2 < 2$ gilt. Es sei also $x = \frac{m}{n}$ mit $m \in \mathbb{N}$ und $n \in \mathbb{N}^*$. Wir setzen dann $y = \frac{2 \cdot (m+n)}{m+(2 \cdot n)}$. Wenn also z.B. $x = \frac{7}{5}$ gewählt wird, was wegen $(\frac{7}{5})^2 = \frac{49}{25} < 2$ zulässig ist, dann setzen wir $y = \frac{2 \cdot (7+5)}{7+(2 \cdot 5)} = \frac{24}{17}$. So wie in diesem Beispiel $x^2 < y^2 < 2$ wegen $(\frac{24}{17})^2 = \frac{576}{289} < 2$ und $\frac{7}{5} < \frac{24}{17}$ gilt, kann man mit einer kleinen Rechnung allgemein zeigen, dass die Annahme $(\frac{m}{n})^2 < 2$ die Konsequenz $(\frac{m}{n})^2 < (\frac{2 \cdot (m+n)}{m+(2 \cdot n)})^2 < 2$ und damit (M₂2) nach sich zieht. Wirft man noch einmal einen scharfen Blick auf die beiden Aussagen (M₂1) und (M₂2), so erkennt man eine fast wörtliche Übereinstimmung mit den in 3.3 angegebenen Eigenschaften (Ab1) und (Ab2). Ferner gilt $M_2 \neq \mathbb{B}$, da z.B. wegen $2 < 5^2$ sicher $5 \notin M_2$ gilt. Die Menge M_2 erfüllt somit die wesentlichen Eigenschaften eines Abschnitts, sie ist so etwas wie ein Abschnitt, nur dass es eben keine Bruchzahl b gibt, mit der man (so wie $M_9 = [3]$) $M_2 = [b]$ schreiben könnte. Wäre das Symbol $\sqrt{2}$ bereits als Zahl etabliert, dann würde es Sinn machen, $M_2 = [\sqrt{2}]$ zu schreiben.

4.2 Der neue Zahlbereich

Bevor wir nun den entscheidenden Schritt machen, um die offensichtlichen Mängel des Zahlbereiches $\mathbb{B}$ durch eine zweckmäßige Erweiterung desselben zu beheben, erinnern wir uns, dass wir schon einmal eine Erweiterung eines Zahlbereiches erfolgreich durchgeführt haben. Der Zahlbereich $\mathbb{B}$ ist ja eine Erweiterung des Zahlbereiches $\mathbb{N}$. Dabei sind die Elemente von $\mathbb{B}$ gewisse Mengen (nämlich die Bruchzahlen $\frac{m}{n}$), unter denen sich spezielle Mengen (nämlich die Bruchzahlen $\frac{m}{1}$) befinden, die den Elementen des Bereichs $\mathbb{N}$ entsprechen. Die Menge $\mathbb{B}_\nu$ dieser speziellen Objekte ist eine Kopie der Menge $\mathbb{N}$ innerhalb von $\mathbb{B}$. Durch Identifikation der Menge $\mathbb{N}$ mit ihrer Kopie $\mathbb{B}_\nu$ wird der Zahlbereich $\mathbb{N}$ eine Teilmenge des Zahlbereichs $\mathbb{B}$.

Wir formulieren nun ein ambitioniertes Programm zur Erschaffung eines neuen Zahlbereiches, der umfassender sein soll als $\mathbb{B}$ und den wir mit $\mathbb{X}$ bezeichnen wollen.

(X1) Unter den Elementen von $\mathbb{X}$ müssen sich spezielle Elemente befinden, die auf natürliche Weise mit den Elementen von $\mathbb{B}$ korrespondieren, sodass die Menge $\mathbb{X}_\beta$ all dieser speziellen Elemente von $\mathbb{X}$ eine Kopie der Menge $\mathbb{B}$ darstellt. Das gestattet eine Identifikation der Menge $\mathbb{B}$ mit $\mathbb{X}_\beta$, womit $\mathbb{B}$ zu einer Teilmenge von $\mathbb{X}$ wird.

(X2) Auf dem Bereich $\mathbb{X}$ muss eine Addition und eine Multiplikation erklärt sein, sodass alle bekannten Rechenregeln, speziell die Regeln (KA), (AA), (KM), (AM) und (D) aus 2.5 für alle Elemente von $\mathbb{X}$ gelten. Mit den Elementen der Menge $\mathbb{X}$ muss man auf vertraute Art rechnen können, damit man sie mit Recht Zahlen nennen darf.

(X3) Auf der Teilmenge $\mathbb{B}$ soll die arithmetische Struktur von $\mathbb{X}$ mit der auf $\mathbb{B}$ bereits vorhandenen Struktur übereinstimmen. Die Bruchzahlen, die eine Heimat innerhalb des neuen Zahlbereichs $\mathbb{X}$ finden, werden auf gewohnte Weise addiert und multipliziert.

(X4) So wie man es von den Bruchzahlen her gewohnt ist, soll auch für $a, b \in \mathbb{X}$ und $a \neq 0$ die Gleichung $a \cdot x = b$ stets eine eindeutig bestimmte Lösung $x \in \mathbb{X}$ besitzen.

(X5) Die Elemente des neuen Zahlbereichs $\mathbb{X}$ sollen es ermöglichen, die Länge einer beliebigen Strecke (bezogen auf eine fixe Strecke der Länge 1) zu definieren. Zu jeder Strecke AB soll es eine eindeutig bestimmte Zahl $x \in \mathbb{X}$ geben, sodass die Strecke AB (bezogen auf AE) die Länge x hat. Speziell soll es genau eine Zahl $w \in \mathbb{X}$ geben, die die

Länge der Hypotenuse im rechtwinkeligen Dreieck ist, dessen Katheten beide die Länge 1 haben. Da für diese Zahl w nach dem pythagoreischen Lehrsatz $w^2 = 2$ gilt, wird die Zahl w mit $w = \sqrt{2}$ bezeichnet.

(X6) Die Elemente von $\mathbb{X}$ sollen nicht nur Zahlen sein, mit denen man rechnen kann, sie sollen auch »Größen« darstellen, die auf natürliche Weise geordnet sind.

Wie soll man nun tatsächlich den neuen Zahlbereich, der sämtlichen Punkten dieses Programms gerecht wird, definieren? Konzentrieren wir uns zunächst auf Punkt (X1) sowie die in Punkt (X5) enthaltene Forderung nach einer Definition von $\sqrt{2}$. Dazu betrachten wir die in 4.1 hergestellte Analogie zwischen der Menge

$$M_9 = \{x \in \mathbb{B} \mid x^2 < 9 \},$$

die wegen $M_9 = [3]$ ein Abschnitt ist, und der Menge

$$M_2 = \{x \in \mathbb{B} \mid x^2 < 2 \},$$

die zwar kein Abschnitt ist, aber die charakteristischen Eigenschaften eines Abschnitts erfüllt.

Diese Analogie motiviert die Einführung eines neuen zentralen Begriffs. Wir nennen eine Teilmenge S des Bruchzahlenbereichs $\mathbb{B}$ ein Segment, wenn die Menge S folgende Eigenschaften besitzt:

(S0) Es gilt $S \neq \mathbb{B}$. Insbesondere gibt es ein $b \in \mathbb{B}$, sodass $b \notin S$.

(S1) Sind $x, y \in \mathbb{B}$, sodass $x < y$ und $y \in S$, dann gilt $x \in S$.

(S2) Zu jedem $x \in S$ gibt es mindestens ein $y \in S$, sodass $x < y$.

Da für einen Abschnitt $[b]$ stets $[b] \neq \mathbb{B}$ gilt und die in 3.3 formulierten Eigenschaften (Ab1) und (Ab2) den Forderungen (S1) und (S2) entsprechen, ist jeder Abschnitt $[b]$ automatisch ein Segment. Insbesondere ist die leere Menge ein Segment. Ferner ist unsere Menge M_9 ein Segment. Aber auch die Menge M_2 ist ein Segment, da für $S = M_2$ die Eigenschaft (So) wegen $5 \notin M_2$ gilt und die Eigenschaften (S1) und (S2) identisch mit den in 4.1 formulierten Eigenschaften ($M_2$1) und ($M_2$2) sind. Auf analoge Weise kann man zeigen, dass für jede natürliche Zahl n die Menge

$$M_n = \{ x \in \mathbb{B} \mid x^2 < n \}$$

ein Segment ist. Ferner kann man, so wie bei der Unlösbarkeit der Gleichung $x^2 = 2$ für $x \in \mathbb{B}$, mit Hilfe der eindeutigen Primfaktorenzerlegung natürlicher Zahlen zeigen, dass die Gleichung $x^2 = p$ keine Lösung $x \in \mathbb{B}$ besitzt, wenn p eine Primzahl ist. Daher stellt die Menge M_p (so wie speziell für $p = 2$) für jede Primzahl p ein Segment dar, das kein Abschnitt ist. Insbesondere gibt es unendlich viele Segmente, die keine Abschnitte sind. Wie wir in den Vertiefungen zeigen werden, ist es in gewissem Sinn sogar die Regel, dass ein Segment kein Abschnitt ist.

Jetzt sieht man schon, wie der Hase läuft. Die speziellen Elemente der zu definierenden Menge $\mathbb{X}$, die mit den Bruchzahlen b korrespondieren, sind die Abschnitte $[b]$. Die übrigen, wirklich neuen Zahlen sind alle Segmente, die keine Abschnitte sind, z.B. alle Segmente M_p, wo p eine Primzahl ist. Die Zahlen des neuen Zahlbereichs $\mathbb{X}$ sind also einfach die Segmente. Wir definieren somit den Zahlbereich $\mathbb{X}$ als die Menge aller Segmente,

$$\mathbb{X} = \{ S \mid (S \subset \mathbb{B}) \wedge (\text{So}) \wedge (\text{S1}) \wedge (\text{S2}) \}.$$

Dass wir soeben eine Zahl als eine gewisse Menge von Bruchzahlen, eben ein Segment definiert haben, stellt im Grunde genommen nichts Neues dar. So ist ja auch eine natürliche Zahl nach der von Neumann'schen Definition immer eine Menge von natürlichen Zahlen, ist doch jede natürliche Zahl n identisch mit der Menge $\{m \in \mathbb{N} \mid m < n\}$.

Die Teilmenge von $\mathbb{X}$, die die speziellen, mit den Bruchzahlen korrespondierenden Elemente umfasst, die also die Kopie von $\mathbb{B}$ innerhalb von $\mathbb{X}$ darstellt, ist die Menge aller Abschnitte. Wir definieren also

$$\mathbb{X}_\beta = \{ [b] \mid b \in \mathbb{B} \}.$$

Nach der Identifikation der Menge $\mathbb{X}_\beta$ mit der Menge $\mathbb{B}$ werden wir zwischen einer Bruchzahl b und ihrem Abschnitt $[b]$ nicht mehr unterscheiden. Zur Vermeidung problematischer, zweideutiger Schreibweisen wollen wir diese Identifikation jedoch erst dann vornehmen, wenn die Punkte (X2) bis (X6) unseres Programms zufriedenstellend bewältigt sind.

Da die Menge M_2 das Wesen von $\sqrt{2}$ erfasst und M_2 ein Segment ist, nach unserer Definition also $M_2 \in \mathbb{X}$ gilt, ist es naheliegend, die Menge M_2 selbst als die Zahl $\sqrt{2}$ anzusehen. Bei der Einführung der Multiplikation werden wir daher darauf achten, dass $M_2 \cdot M_2 = [2]$ gilt, dass man also nach der Identifikation der Menge $\mathbb{X}_\beta$ mit der Menge $\mathbb{B}$ völlig korrekt $\sqrt{2} \cdot \sqrt{2} = 2$ schreiben kann.

4.3 Addition und Multiplikation

Im Bemühen, gemäß Punkt (X2) eine Addition und eine Multiplikation auf der Menge $\mathbb{X}$ einzuführen, übertragen wir zunächst die auf der Menge $\mathbb{B}$ bereits etablierte arithmetische Struktur auf die Teilmenge $\mathbb{X}_\beta$ von $\mathbb{X}$, die die Kopie von $\mathbb{B}$ innerhalb von $\mathbb{X}$ darstellt. Für zwei Zahlen $X_1, X_2 \in \mathbb{X}$, die in der Menge $\mathbb{X}_\beta$ liegen, die also nicht nur Segmente, sondern sogar Abschnitte sind, für die also $X_1 = [b_1]$ und

$X_2 = [b_2]$ mit eindeutig bestimmten Bruchzahlen b_1 und b_2 gilt, definieren wir die Summe $X_1 + X_2$ und das Produkt $X_1 \cdot X_2$ durch

$$X_1 + X_2 = [b_1 + b_2] \text{ und } X_1 \cdot X_2 = [b_1 \cdot b_2] \,.$$

Wenn es uns gelingt, diese Summe und dieses Produkt zweier Abschnitte $[b_1]$ und $[b_2]$ ohne Zuhilfenahme der Bruchzahlen b_1 und b_2 rein mengentheoretisch zu bestimmen, dann haben wir den richtigen Weg gefunden, Summe und Produkt zweier Segmente und damit zweier beliebiger Zahlen X_1, $X_2 \in \mathbb{X}$ zu definieren. Die Ausgangssituation lässt sich auch so beschreiben: Bei vorgegebenen Bruchzahlen b_1 und b_2 bilden wir die Abschnitte $[b_1]$ und $[b_2]$ und schreiben $A_1 = [b_1]$ und $A_2 = [b_2]$. Danach vergessen wir die vorgegebenen Bruchzahlen b_1 und b_2. Wir haben nun lediglich die Mengen A_1 und A_2 vorliegen, von denen wir nur mehr wissen, dass sie Abschnitte sind, nicht aber welche. Dann stehen wir vor der Aufgabe, denjenigen Abschnitt $[b]$ zu finden, der durch diejenige Bruchzahl b festgelegt ist, die die Summe bzw. das Produkt der beiden vergessenen Bruchzahlen b_1 und b_2 ist.

Tatsächlich lässt sich dieses Problem auf einfache und natürliche Weise handhaben. Es gilt nämlich für beliebige Bruchzahlen b_1 und b_2

$$[b_1 \cdot b_2] = \{ r_1 \cdot r_2 \mid r_1 \in [b_1] \,\wedge\, r_2 \in [b_2] \}$$

und im Falle $b_1 \neq 0$ und $b_2 \neq 0$

$$[b_1 + b_2] = \{ r_1 + r_2 \mid r_1 \in [b_1] \,\wedge\, r_2 \in [b_2] \} \,.$$

Es ist also der Abschnitt $[b_1 \cdot b_2]$ identisch mit der Menge aller Bruchzahlen, die sich als Produkt einer Bruchzahl r_1 im Abschnitt $[b_1]$ und einer Bruchzahl r_2 im Abschnitt $[b_2]$ schreiben lassen. Analoges gilt für die Summe. Bevor wir diese beiden Behauptungen verifizieren, geben wir gleich die dadurch motivierte Definition der Grundrechnungsarten auf dem Bereich $\mathbb{X}$:

Für Zahlen in $\mathbb{X}$, also für Segmente S_1, S_2 ist das Produkt durch
$$S_1 \cdot S_2 = \{r_1 \cdot r_2 \mid r_1 \in S_1 \wedge r_2 \in S_2\}$$
erklärt und im Falle $S_1 \neq \emptyset$ und $S_2 \neq \emptyset$ die Summe durch
$$S_1 + S_2 = \{r_1 + r_2 \mid r_1 \in S_1 \wedge r_2 \in S_2\}.$$
Zusätzlich definiert man $S + \emptyset = \emptyset + S = S$ für alle Segmente S.

Diese Definitionen sind jedenfalls korrekt, weil sie rein mengentheoretischer Natur sind. Selbstverständlich sind sie aber nur dann sinnvoll, wenn die so definierte Summe und das so definierte Produkt zweier Elemente von $\mathbb{X}$ wieder ein Element von $\mathbb{X}$ ist. Wir müssen also verifizieren, dass die dadurch definierten Mengen $S_1 + S_2$ und $S_1 \cdot S_2$ für beliebige Segmente S_1 und S_2 selbst Segmente sind. Falls eines der beiden Segmente die leere Menge ist, erübrigt sich diese Verifikation im Hinblick auf die Definition der Summe und die offensichtliche Produkteigenschaft $S \cdot \emptyset = \emptyset \cdot S = \emptyset$.

Um diese beiden sowie die vorigen beiden Behauptungen zu verifizieren, benötigen wir zwei Hilfsüberlegungen. Wir behaupten, dass für beliebige Bruchzahlen $a, b \neq 0$ folgende Aussagen gelten:

(HA) Zu jeder Bruchzahl z, für die $z < a + b$ gilt, gibt es Bruchzahlen x und y dergestalt, dass $x < a$ und $y < b$ und $z = x + y$ gilt.

(HM) Zu jeder Bruchzahl z, für die $z < a \cdot b$ gilt, gibt es Bruchzahlen x und y dergestalt, dass $x < a$ und $y < b$ und $z = x \cdot y$ gilt.

Um diese beiden Aussagen zu beweisen, schreiben wir $a = \frac{m_a}{n_a}$ und $b = \frac{m_b}{n_b}$ mit $m_a, n_a, m_b, n_b \in \mathbb{N}^*$ und $z = \frac{m_z}{n_z}$ mit $m_z \in \mathbb{N}$ und $n_z \in \mathbb{N}^*$. Unter der Voraussetzung $z < a + b$ kann man mit einer etwas längeren, aber durchaus simplen Rechnung nachprüfen, dass

$$x = \frac{m_z \cdot m_a \cdot n_b}{(n_z \cdot m_a \cdot n_b) + (n_z \cdot n_a \cdot m_b)} \quad \text{und} \quad y = \frac{m_z \cdot n_a \cdot m_b}{(n_z \cdot m_a \cdot n_b) + (n_z \cdot n_a \cdot m_b)}$$

Bruchzahlen mit den für (HA) gewünschten Eigenschaften darstellen. Unter der Voraussetzung $z < a \cdot b$ gilt bezogen auf (HM) dasselbe für

$$x = \frac{(n_b \cdot m_z) + (m_a \cdot m_b \cdot n_b)}{(m_b \cdot n_z) + (n_a \cdot n_b \cdot m_b)} \quad \text{und} \quad y = \frac{(n_z \cdot m_z \cdot m_b) + (n_a \cdot n_b \cdot m_b \cdot m_z)}{(m_z \cdot n_z \cdot n_b) + (m_a \cdot m_b \cdot n_b \cdot n_z)}.$$

Nun ist es ein Leichtes, die Identität des Abschnitts $[b_1 + b_2]$ und der Menge $\{r_1 + r_2 \mid r_1 \in [b_1] \ \wedge \ r_2 \in [b_2]\}$ sowie die Identität des Abschnitts $[b_1 \cdot b_2]$ und der Menge $\{r_1 \cdot r_2 \mid r_1 \in [b_1] \wedge r_2 \in [b_2]\}$ für beliebige Bruchzahlen $b_1, b_2 \neq 0$ zu zeigen. Mit einem zügigen Nachweis der folgenden vier Aussagen für beliebige Bruchzahlen $b_1, b_2 \neq 0$ ist alles erledigt:

(1) $[b_1 + b_2] \subset \{r_1 + r_2 \mid r_1 \in [b_1] \ \wedge \ r_2 \in [b_2]\}$

(2) $\{r_1 + r_2 \mid r_1 \in [b_1] \ \wedge \ r_2 \in [b_2]\} \subset [b_1 + b_2]$

(3) $[b_1 \cdot b_2] \subset \{r_1 \cdot r_2 \mid r_1 \in [b_1] \wedge r_2 \in [b_2]\}$

(4) $\{r_1 \cdot r_2 \mid r_1 \in [b_1] \wedge r_2 \in [b_2]\} \subset [b_1 \cdot b_2]$

Ad (2) und (4): Wenn $z \in \{r_1 + r_2 \mid r_1 \in [b_1] \ \wedge \ r_2 \in [b_2]\}$, dann gilt $z = r_1 + r_2$ mit Bruchzahlen r_1, r_2, wo $r_1 < b_1$ und $r_2 < b_2$. Da dann automatisch $r_1 + r_2 < b_1 + b_2$ gilt, folgt $z \in [b_1 + b_2]$. Analog zeigt man die Behauptung (4). Ad (1) und (3): Wenn $z \in [b_1 + b_2]$, dann ist z eine Bruchzahl, für die $z < b_1 + b_2$ gilt. Nach (HA) gibt es dann zwei Bruchzahlen x und y dergestalt, dass $x < b_1$ und $y < b_2$ und $z = x + y$ gilt. Es lässt sich also z sicher als Summe zweier Zahlen schreiben, wo die eine kleiner als b_1 ist, also im Abschnitt $[b_1]$ liegt, die andere kleiner als b_2 ist, also im Abschnitt $[b_2]$ liegt. Folglich gilt $z \in \{r_1 + r_2 \mid r_1 \in [b_1] \wedge r_2 \in [b_2]\}$. Analog zeigt man mit (HM) die Behauptung (3).

Mit Hilfe von (HA) und (HM) ist es ferner auch nicht schwierig, die Zweckmäßigkeit unserer Definition der Addition und der Multiplikation nachzuweisen. Zuvor formulieren wir eine nützliche Segmenteigenschaft, die eine Konsequenz der Eigenschaft (S1) darstellt:

(S3) Es sei S ein Segment und $z \in \mathbb{B}$, sodass $z \notin S$. Dann gilt $x < z$ für alle $x \in S$, mit anderen Worten: $S \subset [z]$.

Das kann auch gar nicht anders sein: Wegen $z \notin S$ ist einerseits $x = z$ für kein $x \in S$ möglich, andererseits kann es auch kein $x \in S$ geben, sodass $z < x$ gilt, weil sonst die für das Segment S gültige Eigenschaft (S1) automatisch $z \in S$ fordern würde. Da also sowohl $x = z$ als auch $z < x$ für jedes einzelne $x \in S$ ausgeschlossen ist, muss $x < z$ für alle $x \in S$ gelten.

Wir sind nun gerüstet für den Nachweis, dass für beliebige Segmente $S_1, S_2 \neq \emptyset$ die Mengen $S_1 + S_2$ und $S_1 \cdot S_2$ ebenfalls Segmente sind. Es genügt dabei, den Nachweis, dass $S_1 + S_2$ ein Segment ist, aufzuschreiben. Indem man danach jedes Symbol » + « durch ein Symbol » · « ersetzt, erhält man automatisch den Nachweis, dass $S_1 \cdot S_2$ ein Segment ist.

Nachzuweisen sind also die Eigenschaften (S0), (S1) und (S2) für die Menge $S = S_1 + S_2$. Da S_1 und S_2 Segmente sind, gibt es Bruchzahlen b_1 und b_2 mit $b_1 \notin S_1$ und $b_2 \notin S_2$. Nach der Segmenteigenschaft (S3) gilt dann $S_1 \subset [b_1]$ und $S_2 \subset [b_2]$, somit gilt $S_1 + S_2 \subset [b_1 + b_2]$. Wegen $b_1 + b_2 \notin [b_1 + b_2]$ gilt daher $b_1 + b_2 \notin S_1 + S_2$, womit $S_1 + S_2 = B$ ausgeschlossen und (S0) für $S = S_1 + S_2$ nachgewiesen ist.

Wenn $y \in S$, dann gibt es definitionsgemäß Bruchzahlen r_1 und r_2, sodass $r_1 \in S_1$ und $r_2 \in S_2$ und $y = r_1 + r_2$ gilt. Ist nun x eine Bruchzahl, für die $x < y$ gilt, dann gibt es nach (HA) Bruchzahlen u und v dergestalt, dass $u < r_1$ und $v < r_2$ und $x = u + v$ gilt. Da S_1 ein Segment ist, folgt $u \in S_1$ aus $u < r_1$ und $r_1 \in S_1$. Analog folgt $v \in S_2$. Daher gilt $u + v \in S_1 + S_2$, also $x \in S_1 + S_2$, womit (S1) für $S = S_1 + S_2$ nachgewiesen ist.

Zum Nachweis von (S2) sei $x \in S_1 + S_2$, also $x = r_1 + r_2$ mit $r_1 \in S_1$ und $r_2 \in S_2$. Da S_1 ein Segment ist, gibt es ein $y_1 \in S_1$, sodass $r_1 < y_1$ gilt. Ebenso gibt es ein $y_2 \in S_2$, sodass $r_2 < y_2$ gilt. Nun gilt einerseits $r_1 + r_2 < y_1 + y_2$, andererseits $y_1 + y_2 \in S_1 + S_2$. Damit haben wir in der Bruchzahl $y = y_1 + y_2$ ein Element der Menge $S_1 + S_2$ gefunden, das sicher größer ist als das vorgegebene Element $x = r_1 + r_2$ dieser Menge. Damit erfüllt die Menge $S = S_1 + S_2$ auch die Eigenschaft (S2) und ist somit endgültig als Segment entlarvt.

Um nun Punkt (X2) unseres Programms endgültig abhaken zu können, müssen noch die Rechenregeln (KA), (AA), (KM), (AM) und (D) überprüft werden. Da diese Regeln aber sowieso für die Bruchzahlen gelten, stellt die Überprüfung derselben für die Zahlen im neuen Zahlbereich eine äußerst simple, ja geradezu langweilige Prozedur dar. Nur beim Nachweis des Distributivgesetzes muss man ein wenig argumentieren, sodass wir dieses Gesetz detailliert nachweisen wollen.

Für beliebige Segmente A, B, C ist also $(A + B) \cdot C = (A \cdot C) + (B \cdot C)$ zu verifizieren. Da dies offensichtlich richtig ist, wenn mindestens eine der Mengen A, B, C die leere Menge ist, können wir gleich $A, B, C \neq \emptyset$ voraussetzen. Wir zerlegen den Beweis in zwei Teile. Zunächst zeigen wir, dass $(A + B) \cdot C$ eine Teilmenge von $(A \cdot C) + (B \cdot C)$ ist. Es sei also $x \in (A + B) \cdot C$. Definitionsgemäß kann man dann $x = (a + b) \cdot c$ mit $a \in A$, $b \in B$ und $c \in C$ schreiben. Da (D) für Bruchzahlen gültig ist, haben wir $x = (a + b) \cdot c = (a \cdot c) + (b \cdot c)$ und damit sicher $x \in (A \cdot C) + (B \cdot C)$. Um schließlich nachzuweisen, dass auch $(A \cdot C) + (B \cdot C)$ eine Teilmenge von $(A + B) \cdot C$ ist, sei $x \in (A \cdot C) + (B \cdot C)$. Definitionsgemäß kann man dann $x = (a \cdot c_1) + (b \cdot c_2)$ mit $a \in A$, $b \in B$ und $c_1, c_2 \in C$ schreiben. Nun wählen wir eine Bruchzahl $c \in C$, für die $c_1 < c$ und $c_2 < c$ gilt. (Da C ein Segment ist, können wir das tun.) Dann gilt $x = (a \cdot c_1) + (b \cdot c_2) \leq (a \cdot c) + (b \cdot c) = (a + b) \cdot c$. Da $(a + b) \cdot c \in (A + B) \cdot C$ gilt, ist x im Falle $x = (a + b) \cdot c$ trivialerweise und im Falle $x < (a + b) \cdot c$ wegen (S1) für $S = (A + B) \cdot C$ sicher ein Element von $(A + B) \cdot C$.

Zusammen mit Punkt (X2) ist nun natürlich auch Punkt (X3) des Programms erledigt. Zur Abrundung dieser beiden Punkte noch ein

Wort zur Rolle der Zahlen 0 und 1, die wir, da die Identifikation der Mengen $\mathbb{X}_\beta$ und $\mathbb{B}$ noch nicht vorgenommen ist, im Zahlbereich $\mathbb{X}$ als die Abschnitte [0] und [1] wiederfinden. Da $[0] = \emptyset$ (und somit lustigerweise $[0] = 0$ auch ohne Identifikation von $\mathbb{X}_\beta$ und $\mathbb{B}$) gilt, erhalten wir für $S \in \mathbb{X}$ die allgemeingültigen Aussagen

$S + [0] = S$ und $S \cdot [0] = [0]$ und $S \cdot [1] = S$.

4.4 Die natürliche Ordnung

In diesem Kapitel wollen wir Punkt (X6) unseres Programms abarbeiten. Naheliegenderweise bekommt man eine natürliche Ordnung auf der Menge $\mathbb{X}$, wenn man die Definition der natürlichen Ordnung auf $\mathbb{B}$ (mit einer kleinen Adaptation) übernimmt:

Für $A, B \in \mathbb{X}$ setzen wir $A \leq B$ genau dann, wenn es ein $C \in \mathbb{X}$ gibt, sodass $A + C = B$ gilt.

Tatsächlich geht es aber viel einfacher. Nach dieser Definition ist nämlich, wie man leicht überprüfen kann, die Beziehung $A \leq B$ gleichbedeutend mit $A \subset B$! Setzt man nun ferner $A < B$, wenn $A \leq B$ und $A \neq B$, dann befindet man sich in vertrauten Gefilden:

Für $A, B, C \in \mathbb{X}$ gilt stets entweder $A < B$ oder $B < A$ oder $A = B$.

Für $A, B, C \in \mathbb{X}$ gilt sicher $A < C$, wenn sowohl $A < B$ als auch $B < C$ gilt.

Während die zweite Aussage eine mengentheoretische Trivialität darstellt, gilt doch für drei beliebige Mengen, dass wenn die erste Menge eine Teilmenge der zweiten und die zweite Menge eine Teilmenge der dritten ist, dann automatisch auch die erste Menge eine Teilmenge der dritten ist, bedarf die erste Aussage einer Begründung.

Dazu genügt es natürlich zu zeigen, dass für beliebige Segmente A und B stets $A \subset B$ oder $B \subset A$ gilt. Dazu wiederum genügt es zu zeigen, dass wenn A und B Segmente sind und A keine Teilmenge von B ist, dann unbedingt B eine Teilmenge von A ist. Es sei also das Segment A keine Teilmenge des Segments B, d.h. es gibt mindestens ein Element der Menge A, das kein Element der Menge B ist. Es sei nun also a eine Bruchzahl, sodass $a \in A$ und $a \notin B$. Dann ist wegen (S3) für $S = B$ automatisch $B \subset [a]$. Da nach (S1) für $S = A$ jedenfalls $[a] \subset A$ gilt, muss daher B eine Teilmenge von A sein.

Zur natürlichen Ordnung auf dem neuen Zahlbereich $\mathbb{X}$ sei ferner bemerkt, dass dieselbe nicht an der natürlichen Ordnung auf dem alten Zahlbereich $\mathbb{B}$ rüttelt. Da, wie bereits festgestellt, für Bruchzahlen b_1, b_2 stets genau dann $[b_1] \subset [b_2]$ gilt, wenn $b_1 \leq b_2$ gilt, überträgt sich die natürliche Ordnung auf $\mathbb{B}$ sozusagen 1:1 auf die Kopie $\mathbb{X}_\beta$: Für Abschnitte $[b_1]$ und $[b_2]$ gilt bezüglich der Ordnung auf $\mathbb{X}$ genau dann $[b_1] < [b_2]$, wenn $b_1 < b_2$ bezüglich der Ordnung auf $\mathbb{B}$ gilt.

Abschließend wollen wir eine faszinierende Eigenschaft beweisen, die beschreibt, wie die Elemente der Menge $\mathbb{X}_\beta$ in die Menge $\mathbb{X}$ »hineingestreut« sind: Die Menge $\mathbb{X}_\beta$ *liegt dicht* in der Menge $\mathbb{X}$, d.h. zwischen zwei Zahlen der Menge $\mathbb{X}$ liegen stets unendlich viele Zahlen der Menge $\mathbb{X}_\beta$. Um das einzusehen, genügt es natürlich zu zeigen, dass wenn immer $X, Y \in \mathbb{X}$ und $X < Y$ gilt, es dann sicher ein $Z \in \mathbb{X}_\beta$ gibt, sodass $X < Z < Y$. Ein solches Z ist leicht gefunden. Wenn X und Y Segmente sind, wo $X < Y$ gilt, also $X \neq Y$ und $X \subset Y$ gilt, dann gibt es ein $b \in \mathbb{B}$, sodass $b \in Y$ und $b \notin X$. Wegen (S3) für $S = X$ gilt $X \subset [b]$. Ferner gibt es nach (S2) für $S = Y$ ein $c \in Y$ mit $b < c$ und dazu auch noch ein $d \in Y$ mit $c < d$. Wegen (S1) für $S = Y$ gilt $[d] \subset Y$. Insgesamt haben wir daher $X \leq [b]$ und $[d] \leq Y$ und $[b] < [c] < [d]$. Mit $Z = [c]$ ist somit ein Element der Menge $\mathbb{X}_\beta$ gefunden, für das $X < Z < Y$ gilt.

Wenn man schließlich die Identifikation der Menge $\mathbb{B}$ mit ihrer Kopie $\mathbb{X}_\beta$ vornimmt, dann ist nach dem soeben Gezeigten die Menge $\mathbb{B}$ eine Teilmenge des Zahlbereichs $\mathbb{X}$, die in demselben *dicht* liegt: Zwischen zwei beliebigen Zahlen liegen stets unendlich viele Bruchzahlen. (Insbesondere liegen zwischen zwei Zahlen stets unendlich viele weitere Zahlen.) Man kann übrigens auch umgekehrt zeigen, dass zwischen zwei Bruchzahlen stets unendlich viele Zahlen liegen, die keine Bruchzahlen sind.

4.5 Der Zahlenstrahl

Die Zweckmäßigkeit der Erweiterung des Zahlbereichs $\mathbb{B}$ zum Zahlbereich $\mathbb{X}$ steht und fällt mit der Erfüllung von Punkt (X5) unseres Programms. Im engen Zusammenhang damit steht auch Punkt (X4). Nach einem geometrischen Lehrsatz, dem Strahlensatz, lässt sich nämlich zu jedem Paar Strecken der Länge a bzw. b eine dritte Strecke konstruieren, deren Länge x der Beziehung $a \cdot x = b$ genügt. Eine notwendige Voraussetzung der Erfüllung von (X5) ist daher die Erfüllung von (X4).

Bevor wir (X4) prüfen, führen wir eine praktische Schreibweise ein. Für Bruchzahlen a, b, wo $a \neq 0$ vorausgesetzt wird, haben wir (vgl. 3.2) die eindeutig bestimmte Lösung $x \in \mathbb{B}$ der Gleichung $a \cdot x = b$ suggestiv mit $b : a$ bezeichnet. Um den Charakter der Division, das Ermitteln der Lösung der Gleichung $a \cdot x = b$, von einem Prozess auf sein Resultat zu verlagern, schreiben wir nun b/a an Stelle von $b : a$. Damit kann (X4) kurz und bündig angegangen werden:

Für $A, B \in \mathbb{X}$ gibt es im Falle $A \neq \emptyset$ genau ein Segment X, sodass $A \cdot X = B$ gilt, nämlich $X = \{b/y \mid b \in B \wedge y \in \mathbb{B} \wedge y \notin A\}$.
Genau dann gilt $X = \emptyset$, wenn $B = \emptyset$ gilt. Ferner gilt $X = [b/a]$, wenn $A = [a]$ und $B = [b]$ mit $a, b \in \mathbb{B}$.

(X4) kann zwar kurz und bündig angegangen werden, erledigt allerdings keineswegs. Da ein Beweis der soeben formulierten Behauptung sich als eine durchaus langwierige Angelegenheit erweist, bei der eine Reihe subtiler Details beachtet werden müssen, verzichten wir darauf. Ebenfalls ohne Beweis sei ferner ergänzend festgestellt:

Für jedes $Z \in \mathbb{X}$ gibt es genau ein Segment W, sodass $W \cdot W = Z$ gilt, nämlich $W = \{ b \in \mathbb{B} \mid b^2 \in Z \}$. Die Zahl $W \in \mathbb{X}$ heißt die (Quadrat-) Wurzel aus Z und man schreibt $W = \sqrt{Z}$.

Während die Erledigung von (X4) mit technischen Schwierigkeiten verbunden ist, bereitet der letzte offene Punkt unseres Programms Schwierigkeiten ganz anderer Natur. Stets haben wir von der Länge einer Strecke gesprochen, als gelte es einzig, diese Länge zu messen, dieselbe durch eine Zahl auszudrücken. Die eigentliche Frage lautet aber: Was ist die Länge einer Strecke? Und wenn wir schon beim Fragen sind: Was ist eine Strecke? Damit die Angelegenheit nicht allzu kompliziert und vor allem langwierig wird, gehen wir so vor: Zuerst geben wir eine pragmatische Definition des Begriffs *Strecke*, die denselben in einen engen Zusammenhang mit dem Zahlbegriff bringt, sodass damit Punkt (X5) des Programms sofort erledigt ist. Anschließend versuchen wir plausibel zu begründen, dass unsere Definition adäquat ist und das Wesen des anschaulichen Begriffs »Strecke« wirklich erfasst.

Bevor wir die Definition einer Strecke geben, stellen wir die Geschichte mit einem Bild dar. Wir zeichnen eine Strecke, deren Endpunkte wir mit 0 und 1 bezeichnen und die die Länge 1 haben soll:

```
├──────┤
0      1
```

Nun legen wir in Gedanken Strecken darüber, die denselben Anfangspunkt haben und deren Endpunkte so gewählt werden, dass die Länge der jeweiligen Strecke bezogen auf die Einheitsstrecke 01 eine Bruchzahl b ist. Naheliegenderweise bezeichnen wir dann den Endpunkt der jeweiligen Strecke mit der Bruchzahl, die ihre Länge angibt. Exemplarisch zeichnen wir die Strecken der Länge $\frac{1}{2}$, der Länge 3 und der Länge $\frac{51}{7}$:

$$0 \quad \frac{1}{2} \quad 1 \qquad\qquad 3 \qquad\qquad\qquad\qquad\qquad \frac{51}{7}$$

Die markierten Endpunkte der drei Strecken sowie die Punkte 0 und 1 können wahrlich als Punkte der Strecke der Länge $\frac{51}{7}$ angesehen werden. Legt man in dieser Weise noch weitere Strecken der Länge b mit $b \in \mathbb{B}$ und $b < \frac{51}{7}$ darüber, so erhält man mit deren Endpunkten weitere Punkte der Strecke. Denkt man sich schließlich sämtliche Strecken darübergelegt, deren Längen alle möglichen Bruchzahlen b mit $b < \frac{51}{7}$ sind, so bekommt man unendlich viele Punkte der Strecke, die dichtgepackt liegen, sodass man sie nicht mehr einzeln einzeichnen kann. Trotzdem gibt es Punkte der Strecke, die auf diese Weise nicht erfasst werden. Ein nicht erfasster Punkt ist z. B. der Punkt P, der den Endpunkt der Strecke darstellt, dessen Länge gleich der Hypotenuse eines rechtwinkeligen Dreiecks ist, dessen Katheten beide die Länge 1 haben:

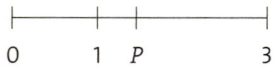

$$0 \qquad 1 \quad P \qquad 3$$

Die Länge der Strecke $0P$ ist keine Bruchzahl, stellt sie doch eine mittlerweile »gute Bekannte« dar, nämlich die Zahl $\sqrt{2}$, die wir als das Segment $\{x \in \mathbb{B} \mid x^2 < 2\}$ definiert haben.

Im Vertrauen darauf, dass jeder Punkt einer über die Einheitsstrecke gelegten Strecke, der keiner Bruchzahl entspricht, jedenfalls einem Segment entspricht, somit jeder Punkt des nach rechts unbegrenzten, »unendlich langen« Zahlenstrahls

0   1

genau einem Element des Zahlbereichs $\mathbb{X}$ entspricht, definieren wir nun:

Für beliebige $A, B \in \mathbb{X}$ mit $A \leq B$ heißt $\{X \in \mathbb{X} \mid A \leq X \leq B\}$ eine Strecke mit Anfangspunkt A und Endpunkt B.

In 4.7 werden wir feststellen, dass es für $A, B \in \mathbb{X}$ im Falle $A \leq B$ genau ein $D \in \mathbb{X}$ gibt, sodass $A + D = B$ gilt. Diese eindeutig bestimmte Zahl D ist dann die Länge der Strecke $\{X \in \mathbb{X} \mid A \leq X \leq B\}$. Fällt der Anfangspunkt A der Strecke mit dem Anfangspunkt 0 des Zahlenstrahls zusammen, so gilt natürlich $B = D$, d.h. der Endpunkt B der Strecke ist identisch mit ihrer Länge. Im Falle $A = B$ gilt natürlich $D = 0$, d.h. die Strecke besteht nur aus einem einzigen Punkt und hat die Länge 0.

Auch wenn mit unserer Definition einer Strecke Punkt (X5) des Programms automatisch erledigt ist, wollen wir nun klären, ob damit das Wesen des anschaulichen Begriffs »Strecke« tatsächlich erfasst wird. Letztlich geht es darum, ob man eben wirklich darauf vertrauen darf, dass jeder Punkt des Zahlenstrahls genau einer Zahl des Bereichs $\mathbb{X}$ entspricht. Um dieses Vertrauen zu rechtfertigen, betrachten wir den Zahlenstrahl, wählen einen beliebigen Punkt P auf demselben und versuchen, eine Zahl $X_P \in \mathbb{X}$ eindeutig zu bestimmen, die dem Punkt P auf natürliche Weise entspricht.

Der Einfachheit halber bezeichnen wir alle Punkte des Strahls, die Bruchzahlen entsprechen, mit diesen Bruchzahlen und nennen sie kurz $\mathbb{B}$-Punkte. Wir fassen den Zahlenstrahl als Punktmenge auf, dann ist $\mathbb{B}$ eine Teilmenge des Strahls. Ist nun P irgendein Punkt des Strahls, so sei $\mathfrak{L}_P$ die Menge aller $\mathbb{B}$-Punkte, die am Strahl links von P liegen. Automatisch gilt dann $\mathfrak{L}_P \subset \mathbb{B}$. Mit der Festsetzung $X_P = \mathfrak{L}_P$ ist schließlich alles erledigt, wenn Folgendes sichergestellt ist. Erstens: Für jeden Punkt P des Zahlenstrahls ist die Menge $\mathfrak{L}_P$ ein Segment in $\mathbb{B}$ (und somit ein Element von $\mathbb{X}$). Zweitens: Für verschiedene Punkte P und Q des Zahlenstrahls sind die Mengen $\mathfrak{L}_P$ und $\mathfrak{L}_Q$ verschieden.

Sichergestellt ist das – wie man sich leicht überzeugen kann – jedenfalls, wenn man folgende drei plausible Prämissen akzeptiert: 1.) Ein $\mathbb{B}$-Punkt A liegt genau dann links von einem $\mathbb{B}$-Punkt B, wenn $A < B$ gilt. 2.) Wenn ein Punkt P links von einem Punkt Q liegt, der links von einem Punkt R liegt, dann liegt P links von R. 3.) Liegt ein Punkt P links von einem Punkt R, dann gibt es stets mindestens einen $\mathbb{B}$-Punkt, der links von R, aber nicht links von P liegt.

4.6 Dezimalzahlen

Ohne nähere Erläuterungen haben wir bereits von der Dezimaldarstellung einer natürlichen Zahl Gebrauch gemacht. Das Präfix Dezimal kommt daher, dass man mit der »Grundzahl« 10 arbeitet, somit als Ziffern die ersten zehn natürlichen Zahlen 0, 1, 2, 3, 4, 5, 6, 7, 8, 9 verwendet. Ferner ist auch eine abbrechende Dezimalzahl ein denkbar einfacher Begriff, der anhand einiger Beispiele leicht zu erklären ist. So stellt jede abbrechende Dezimalzahl eine bestimmte Bruchzahl $b \in \mathbb{B}$ dar. Beispielsweise gilt $0{,}1234567 = \frac{1234567}{10\,000\,000}$ und $12{,}34567 = \frac{1234567}{100\,000}$ und $1234{,}567 = \frac{1234567}{1000}$ und $0{,}0001234567 = \frac{1234567}{10\,000\,000\,000}$. In diesem Sinn ist auch jede natürliche Zahl durch eine abbrechende Dezimalzahl dargestellt, wobei man das Dezimalkomma meist weglässt.

Höchster Erklärungsbedarf besteht hingegen bei einer nichtabbrechenden Dezimalzahl, die man auch oft einen unendlichen Dezimalbruch nennt. Es handelt sich dabei um eine Zeichenkette spezifischer Art, mit der eine Zahl $X \in \mathbb{X}$ dargestellt werden soll. Die Zeichenkette wird von links nach rechts geschrieben. Zunächst treten eine oder mehrere Ziffern auf, dann kommt das Dezimalkomma (auch mit einem Punkt notiert) und dann kommen noch weitere

Ziffern, und zwar – im Gegensatz zu den abbrechenden Dezimalzahlen – unendlich viele. Genau genommen sind es nicht unendlich viele Ziffern (es gibt ja nur zehn), vielmehr treten die Ziffern unendlich oft auf, d.h. mindestens eine der zehn Ziffern tritt unendlich oft auf. Man spricht daher besser von unendlich vielen Stellen, die mit Ziffern zu besetzen sind. Da man eine unendlich lange Zeichenkette nicht anschreiben kann, bricht man irgendwann mit »...« ab. Je nachdem, ob man der so »amputierten« Zeichenkette ein Bildungsgesetz entnehmen kann, wie es exakt weitergeht, ist die durch die Dezimalzahl dargestellte Zahl X mehr oder weniger gut gekennzeichnet. Wie dies konkret gemeint ist, erklären wir exemplarisch anhand der Dezimalzahl

63,714285714285714285714285714285714285714285714285714285...

Der »Ziffernblock« 714 285 soll dabei in ewiger Monotonie unverändert unendlich oft auftreten. Man nennt den Block 714 285 gerne eine Periode und spricht von einer periodischen Dezimalzahl. Diese Dezimalzahl besitzt ein klares Bildungsgesetz. Man weiß genau, was zu tun ist, wenn man tausend, eine Million, eine Milliarde Stellen anschreiben soll.

Nun betrachten wir der Reihe nach die (als abbrechende Dezimalzahlen geschriebenen) Bruchzahlen $63, = \frac{63}{1} = 63$, $63,7 = \frac{637}{10}$, $63,71 = \frac{6371}{100}$, $63,714 = \frac{63714}{1000}$, $63,7142 = \frac{637142}{10000}$, $63,71428 = \frac{6371428}{100000}$, $63,714285 = \frac{63714285}{1000000}$ usw. Wir nennen diese Bruchzahlen nullte, erste, zweite, dritte, vierte, fünfte, sechste Näherung usw. Allgemein kann man bei jeder nicht abbrechenden Dezimalzahl auf diese Weise eine Zuordnung zwischen den natürlichen Zahlen $n \in \mathbb{N}$ und bestimmten Bruchzahlen festlegen. Abkürzend bezeichnen wir die n-te Näherung mit b_n. Bezogen auf unsere exemplarische Dezimalzahl gilt also z.B. $b_0 = 63$ und $b_1 = 63,7 = \frac{637}{10}$ und $b_7 = 63,7142857 = \frac{637142857}{10000000}$ und $b_{13} = 63,7142857142857$ $= \frac{637142857142857}{10000000000000}$.

Die durch die Dezimalzahl eindeutig beschriebene Zahl $X \in \mathbb{X}$ ist nun durch

$$X = \{ b \in \mathbb{B} \mid b < b_n \text{ für irgendein } n \in \mathbb{N} \}$$

gegeben. X ist die Menge derjenigen Bruchzahlen b, die kleiner sind als irgendeine der Näherungsbruchzahlen $b_0, b_1, b_2, b_3, ...$ Dass die so definierte Menge X wirklich eine Zahl des Bereichs $\mathbb{X}$ ist, kann leicht überprüft werden. Zu zeigen ist, dass die Menge X ein Segment in der Menge $\mathbb{B}$ ist. Zu zeigen ist also, dass die Eigenschaften (S0), (S1) und (S2) für $S = X$ erfüllt sind. Ad (S1): Es seien $x, y \in \mathbb{B}$, sodass $x < y$ und $y \in X$. Letzteres heißt, dass $y < b_n$ für irgendein $n \in \mathbb{N}$ gilt. Dann gilt aber automatisch $x < b_n$ für dieses n, also liegt x in der Menge X. Ad (S2): $x \in X$ heißt $x < b_n$ für irgendein $n \in \mathbb{N}$. Da zwischen den Bruchzahlen x und b_n unendlich viele Bruchzahlen liegen, kann man sicher ein $y \in \mathbb{B}$ finden, sodass $x < y < b_n$ gilt. So eine Bruchzahl gehört dann automatisch zur Menge X. Zu jedem $x \in X$ gibt es also sicher ein $y \in X$, sodass $x < y$ gilt. Um schließlich auch (S0) nachzuweisen, genügt es, eine Bruchzahl c zu finden, sodass $b_n < c$ für alle $n \in \mathbb{N}$ gilt. So wie X definiert wurde, gilt dann sicher $c \notin X$ und somit $X \neq \mathbb{B}$. In unserem Beispiel kann man etwa $c = 64$ wählen. Allgemein kann man $c = b_0 + 1$ wählen.

Dass die Dezimalschreibweise bei nicht abbrechenden Dezimalzahlen umständlich sein kann, dass solch ein unendlich langes Ungetüm eine Zahl beschreiben kann, die sich viel einfacher aufschreiben lässt, demonstriert gerade unser Beispiel 63,714285... Man kann mit folgendem Trick leicht zeigen, dass die dadurch beschriebene Zahl einfach die Zahl $\frac{446}{7}$ ist. Wir bezeichnen unsere Zahl 63,714285... mit X. Dann multiplizieren wir X mit 1 000 000, wodurch sich das Dezimalkomma um sechs Stellen nach rechts verschiebt: $1\,000\,000 \cdot X = 63\,714\,285{,}714285...$ Nach dem Dezimalkomma sind die Stellen mit exakt denselben Ziffern besetzt wie bei der Zahl $X = 63{,}714285...$ Subtrahiert man nun die Zahl X von der Zahl $1\,000\,000 \cdot X$, dann »löschen« sich sämtliche Ziffern nach dem Dezimalkomma aus und als Differenz bleibt $(1\,000\,000 \cdot X) - X = 63\,714\,285 - 63$ übrig. Es gilt also $999\,999 \cdot X = 63\,714\,222$ und somit $X = \frac{63\,714\,222}{999\,999} = \frac{446}{7}$. Mit diesem »Stellenverschiebungstrick« kann man allgemein zeigen, dass eine periodische Dezimalzahl stets eine Bruchzahl beschreibt.

Nachdem wir gesehen haben, dass durch jede Dezimalzahl eine eindeutig bestimmte Zahl $X \in \mathbb{X}$ beschrieben wird, gilt es nun umgekehrt festzustellen, dass und wie man zu einer beliebig vorgegebenen Zahl eine Dezimalzahlendarstellung finden kann. Würde es eine Zahl geben, die sich nicht durch eine Dezimalzahl beschreiben ließe, dann wären die Dezimalzahlen ein unbrauchbares Konzept. Wir geben nun einen Algorithmus an, mit dem sich zu jeder Zahl Z eine nicht-abbrechende Dezimalzahlendarstellung finden lässt. Da dieser Algorithmus der Reihe nach die einzelnen Ziffern der Dezimalzahl produziert und nie zu einem Ende kommt, wird man in der Regel irgendwann abbrechen müssen und damit eine abbrechende Dezimalzahl erhalten, die zwar im exakten Sinn eine andere Zahl als Z beschreibt, von der man aber sagen kann, dass sie die Zahl Z wenigstens »näherungsweise« beschreibt. Einzig im Fall, dass ab einer gewissen Stelle immer nur die Ziffer 0 auftritt, liegt eine exakte Darstellung der Zahl Z vor, da solch eine nicht abbrechende Dezimalzahl dieselbe Zahl beschreibt wie die bei dieser Stelle abgebrochene Dezimalzahl. So gilt z. B. $12{,}8740000000\ldots = 12{,}874$.

Um einen solchen Algorithmus angeben zu können, benötigen wir ein wichtiges Prinzip, das in engem Zusammenhang mit dem **Archimedischen Prinzip** steht und in den Vertiefungen bewiesen wird.

S. 111

Zu jeder Zahl $X \in \mathbb{X}$ gibt es genau eine natürliche Zahl $N(X)$ dergestalt, dass $N(X) \leq X < N(X) + 1$ gilt. Wir nennen diese natürliche Zahl $N(X)$ die Abrundung von X.

Man beachte dabei, dass nach der Identifikation der Menge $\mathbb{B}$ mit der Teilmenge $\mathbb{X}_\beta$ von $\mathbb{X}$ nunmehr auch die Menge $\mathbb{N}$ als eine Teilmenge von $\mathbb{X}$ anzusehen ist, da wir schon früher $\mathbb{N}$ mit der Teilmenge $\mathbb{B}_\nu$ von $\mathbb{B}$ identifiziert haben.

Der Algorithmus, den wir nun vorstellen, liefert nicht direkt die Ziffern einer Dezimalzahlendarstellung einer Zahl Z, sondern vielmehr die als abbrechende Dezimalzahlen geschriebenen Näherungsbruchzahlen, aus denen man aber sofort die Ziffern in richtiger Reihenfolge erhält. Konkret bekommt man die Näherungsbruchzahlen b_0, b_1, b_2, b_3, b_4 usw. wie folgt:

$$b_0 = N(Z), \quad b_1 = \frac{N(10 \cdot Z)}{10}, \quad b_2 = \frac{N(100 \cdot Z)}{100}, \quad b_3 = \frac{N(1000 \cdot Z)}{1000},$$

$$b_4 = \frac{N(10\,000 \cdot Z)}{10\,000}, \quad b_5 = \frac{N(100\,000 \cdot Z)}{100\,000} \text{ usw.}$$

Allgemein ist $b_n = \frac{N(10^n \cdot Z)}{10^n}$, wobei wir wie üblich abkürzend 10^n für das Produkt schreiben, das man erhält, wenn man 10 n-mal mit sich selbst multipliziert. (Zum Beispiel $10^5 = 10 \cdot 10 \cdot 10 \cdot 10 \cdot 10 = 100\,000$.) Diese Vorgangsweise entspricht genau der Berechnung der Näherungsbruchzahlen bei unserem Beispiel 63,714285….

Sollte es einen Index $m \in \mathbb{N}$ geben, sodass $b_n = b_m$ für alle $n > m$ gilt, dann tritt nach der m-ten Stelle nach dem Dezimalkomma nur mehr die Ziffer 0 auf. Dagegen kann unser Algorithmus nie eine Dezimalzahl produzieren, wo ab einer gewissen Stelle immer nur die Ziffer 9 auftritt.

Der Nachweis, dass die so erhaltene Dezimalzahl auch wirklich die richtige ist, also dass tatsächlich $Z = \{ b \in \mathbb{B} \mid b < b_n \text{ für irgendein } n \in \mathbb{N} \}$ gilt, und dass ferner $Z = b_m$ gilt, falls $b_n = b_m$ für alle $n > m$ gilt, lässt sich mit Hilfe des **Archimedischen Prinzips** nicht allzu schwierig erbringen und sei dem ambitionierten Leser überlassen.

S. 111

Exemplarisch wollen wir nun mit unserem Algorithmus die ersten Ziffern derjenigen Dezimalzahl bestimmen, die die Zahl $\sqrt{2}$ beschreibt. Es ist dabei übrigens nicht zu erwarten, dass diese Dezimalzahl periodisch ist, denn da die Zahl $\sqrt{2}$ keine Bruchzahl ist, ist ihre Dezimalzahlendarstellung nicht abbrechend und nicht periodisch.

Der nullte Näherungsbruch der Zahl $\sqrt{2}$ ist nach unserem Algorithmus durch $b_0 = N(\sqrt{2})$ gegeben. Wie kann man diese natürliche Zahl nun konkret ermitteln? Nach dem Rundungsprinzip ist die Zahl $N = N(\sqrt{2})$ dadurch charakterisiert, dass $N \leq \sqrt{2} < N+1$ gilt. Da für $X, Y \in \mathbb{X}$ die Aussage $X < Y$ stets gleichbedeutend mit $X^2 < Y^2$ ist, gilt $N^2 \leq 2 < (N+1)^2$ für $N = N(\sqrt{2})$, da ja das Quadrat von $\sqrt{2}$ gleich 2 ist. Die eindeutig bestimmte Zahl N, die diese Ungleichungskette erfüllt, ist 1, da $1^2 \leq 2 < (1+1)^2$ gilt, sodass wir $b_0 = N(\sqrt{2}) = 1$ erhalten.

Um nun den ersten Näherungsbruch der Zahl $\sqrt{2}$ nach unserem Algorithmus zu erhalten, ist $b_1 = \frac{N(10 \cdot \sqrt{2})}{10}$ zu ermitteln. Dazu sucht man zunächst diejenige natürliche Zahl $N_1 = N(10 \cdot \sqrt{2})$, für die $N_1 \leq 10 \cdot \sqrt{2} < N_1 + 1$ gilt, für die also $N_1^2 \leq (10 \cdot \sqrt{2})^2 < (N_1 + 1)^2$ gilt. Wegen $(10 \cdot \sqrt{2})^2 = 10 \cdot \sqrt{2} \cdot 10 \cdot \sqrt{2} = (10 \cdot 10) \cdot (\sqrt{2} \cdot \sqrt{2}) = 100 \cdot 2 = 200$ und $14^2 \leq 200 < (14+1)^2$ ist $N_1 = 14$ die Lösung dieser Ungleichungskette. Daraus gewinnt man schließlich $b_1 = \frac{N_1}{10} = \frac{14}{10} = 1,4$.

Um den zweiten Näherungsbruch $b_2 = \frac{N(100 \cdot \sqrt{2})}{100}$ zu ermitteln, sucht man diejenige natürliche Zahl $N_2 = N(100 \cdot \sqrt{2})$, für die $N_2 \leq 100 \cdot \sqrt{2} < N_2 + 1$ gilt, für die also $N_2^2 \leq (100 \cdot \sqrt{2})^2 < (N_2 + 1)^2$, das heißt $N_2^2 \leq 20\,000 < (N_2 + 1)^2$ gilt. Wegen $141^2 \leq 20\,000 < (141+1)^2$ gilt $N_2 = 141$ und somit ist $b_2 = \frac{N_2}{100} = \frac{141}{100} = 1,41$ der zweite Näherungsbruch.

Zur Bestimmung des dritten Näherungsbruchs $b_3 = \frac{N_3}{1000}$ ist die Ungleichungskette $N_3^2 \leq 2\,000\,000 < (N_3 + 1)^2$ zu lösen. Wegen $1414^2 \leq 2\,000\,000 < (1414+1)^2$ ist $N_3 = 1414$ und somit $b_3 = \frac{1414}{1000} = 1,414$.

Allgemein ist $b_n = \frac{N_n}{10^n}$, wobei N_n für $n \in \mathbb{N}$ die Lösung der Ungleichungskette $N_n^2 \leq 2 \cdot 10^{2 \cdot n} < (N_n + 1)^2$ ist. Somit gilt $b_4 = \frac{14142}{10000} = 1,4142$ wegen $14142^2 \leq 2 \cdot 10^8 < (14142 + 1)^2$ und $b_5 = \frac{141421}{100000} = 1,41421$ wegen $141421^2 \leq 2 \cdot 10^{10} < (141421 + 1)^2$ und $b_6 = \frac{1414213}{1000000} = 1,414213$ wegen $1414213^2 \leq 2 \cdot 10^{12} < (1414213 + 1)^2$ usw. Die Dezimalzahlendarstellung von $\sqrt{2}$ ist somit durch $\sqrt{2} = 1,414213\ldots$ gegeben.

Abschließend wollen wir noch einen Punkt ansprechen, der gelegentlich für Verwirrung sorgt. Es liegt im Wesen der Dezimalschreibweise, dass jede Zahl, die durch eine abbrechende Dezimalzahl beschrieben werden kann, gleichzeitig auch durch zwei nicht abbrechende, insbesondere also zwei andere Dezimalzahlen beschrieben werden kann. So beschreiben etwa die drei Dezimalzahlen 1,237 und 1,236999999999999999999999... (Ziffer 9 bis in alle Ewigkeit) und 1,237000000000000000000000... (Ziffer Null bis in alle Ewigkeit) ein und dieselbe Zahl, nämlich die Bruchzahl $\frac{1237}{1000}$. Insbesondere ist die gelegentlich auftauchende Frage, ob denn nicht

$$1,236999999999999999999999... < 1,237000000000000000000000...$$

gälte, gilt doch jedenfalls 1,2369 < 1,2370 und 1,23699 < 1,23700 und 1,236999 < 1,237000 usw., mit der Feststellung

$$1,236999999999999999999999... = 1,237000000000000000000000...$$

zu beantworten, die mengentheoretisch leicht verifiziert werden kann.

4.7 Negative Zahlen

Der Zahlbereich $\mathbb{X}$ weist ein offensichtliches Manko auf, er enthält keine negativen Zahlen. Es gilt $0 < X$ für alle Zahlen $X \neq 0$. Will man eine Zahl X von einer Zahl Y subtrahieren, will man also diejenige Zahl D ermitteln, für die $X + D = Y$ gilt und wo man dann $D = Y - X$ schreiben kann, so muss man stets aufpassen, dass Y nicht kleiner als X ist. Wenn man negative Zahlen zur Verfügung hat, dann kann man z.B. unbekümmert $4 - 7$ hinschreiben, und diese Differenz ist dann »−3«.

Bevor wir die negativen Zahlen einführen, müssen wir noch einiges zur Subtraktion bemerken. Die Subtraktion natürlicher Zahlen ist zwar bereits definiert worden (sogar vor der Addition), aber die Subtraktion von Bruchzahlen oder gar von Zahlen unseres Zahlbereichs $\mathbb{X}$ wurde bis jetzt gar nicht thematisiert. Damit eine Subtraktion zweier Zahlen überhaupt eine sinnvolle Vorgangsweise ist, muss sichergestellt werden, dass es zu beliebigen Zahlen X und Y, für die $X \leq Y$ gilt, stets eine eindeutig bestimmte Zahl D gibt, sodass $X + D = Y$ gilt. Dann erst kann man diese Zahl D die *Differenz* von Y und X nennen und dafür $Y - X$ schreiben.

Bevor wir dies für beliebige Zahlen unseres Zahlbereichs $\mathbb{X}$ sicherstellen, betrachten wir den Fall, dass X und Y Bruchzahlen sind. Es gilt:

Für $m_1, m_2 \in \mathbb{N}$ und $n_1, n_2 \in \mathbb{N}^*$ mit $\frac{m_1}{n_1} \leq \frac{m_2}{n_2}$ gibt es genau ein $d \in \mathbb{B}$, sodass $\frac{m_1}{n_1} + d = \frac{m_2}{n_2}$ gilt. Diese eindeutig bestimmte Bruchzahl d, für die man $d = \frac{m_2}{n_2} - \frac{m_1}{n_1}$ schreibt, ist durch $d = \frac{(n_1 \cdot m_2) - (m_1 \cdot n_2)}{n_1 \cdot n_2}$ gegeben.

Der angegebene Ausdruck d stellt wirklich eine Bruchzahl dar, weil (vgl. 3.3) $\frac{m_1}{n_1} \leq \frac{m_2}{n_2}$ gleichbedeutend mit $m_1 \cdot n_2 \leq n_1 \cdot m_2$ ist und daher die Differenz $(n_1 \cdot m_2) - (m_1 \cdot n_2)$ im Zahlbereich $\mathbb{N}$ gebildet werden kann. Insbesondere gilt $b - b = \frac{0}{1} = 0$ für alle Bruchzahlen b. Dass die angegebene Bruchzahl d die Gleichung $\frac{m_1}{n_1} + d = \frac{m_2}{n_2}$ erfüllt, ist unter Betrachtung der Additionsregel für Bruchzahlen (vgl. 3.2) evident. Dass sie ferner eindeutig bestimmt ist, ist eine unmittelbare Konsequenz der folgenden Feststellung, die wiederum leicht mit Hilfe der Rechenregeln für Bruchzahlen bewiesen werden kann.

Für $a, d_1, d_2 \in \mathbb{B}$ gilt $a + d_1 < a + d_2$ genau dann, wenn $d_1 < d_2$.

Der folgende Satz stellt nun die Subtraktion im Zahlbereich $\mathbb{X}$ sicher.

Wenn $X, Y \in \mathbb{X}$ und $X \leq Y$ gilt, dann gibt es eine eindeutig bestimmte Zahl $D \in \mathbb{X}$, sodass $X + D = Y$ gilt. Diese Zahl D (man schreibt $D = Y - X$) ist das Segment $\{ y - z \mid y \in Y \wedge z \in \mathbb{B} \wedge z \notin X \wedge z \leq y \}$.

Wir verzichten auf einen Beweis dieser Behauptung, der ähnlich dem der analogen Behauptung bei der Division in 4.5 wäre.

Nach diesen Vorbemerkungen über die Subtraktion im Zahlbereich $\mathbb{X}$ ist es nun ein Leichtes, die negativen Zahlen einzuführen. Dazu assoziieren wir mit jeder Zahl $X \in \mathbb{X}$ ein eindeutig bestimmtes, Gegenzahl genanntes Objekt $(-X)$ (lies: MINUS X), das wir später mengentheoretisch dingfest machen werden, sodass folgende Eigenschaften erfüllt sind:

(1) $(-\emptyset) = \emptyset$

(2) Wenn $X \in \mathbb{X}$ und $X \neq \emptyset$, dann $(-X) \notin \mathbb{X}$.

(3) Für verschiedene Zahlen X und Y sind auch stets die Gegenzahlen $(-X)$ und $(-Y)$ verschieden.

Die Objekte $(-X)$, wo $X \in \mathbb{X}$ und $X \neq \emptyset$, heißen dann *negative Zahlen*. Schließlich fassen wir alle Zahlen des Bereichs $\mathbb{X}$ und alle negativen Zahlen in einer Menge zusammen, die wir standardgemäß mit $\mathbb{R}$ bezeichnen. Die Menge $\mathbb{R}$ der *reellen Zahlen* ist dadurch definiert, dass ein Objekt R genau dann ein Element der Menge $\mathbb{R}$ ist, wenn R entweder eine Zahl des Bereiches $\mathbb{X}$ oder eine negative Zahl ist. Damit ist $\mathbb{X}$ automatisch eine Teilmenge von $\mathbb{R}$, sodass man naheliegenderweise alle von 0, d.h. von $\emptyset$ verschiedenen Zahlen des Bereiches $\mathbb{X}$ positive Zahlen nennt. Die Menge $\mathbb{R}$ umfasst also drei Arten von Zahlen: die positiven Zahlen, die Zahl 0 und die negativen Zahlen. Anschaulich illustriert man die Menge $\mathbb{R}$, indem man den Zahlenstrahl am Anfangspunkt spiegelt und damit die *Zahlengerade* erhält:

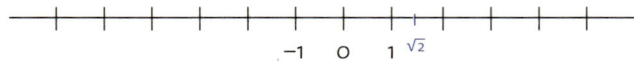

Mit diesem Bild vor Augen wollen wir gleich eine wichtige Teilmenge der Menge $\mathbb{R}$ definieren. Man nennt eine Zahl $R \in \mathbb{R}$ *rational*, wenn R eine Bruchzahl oder die Gegenzahl einer Bruchzahl ist. (Dabei ist die Menge $\mathbb{B}$ als Teilmenge von $\mathbb{X}$ anzusehen.) Die Menge aller rationalen Zahlen bezeichnet man dann mit $\mathbb{Q}$. So gilt z.B. $\frac{3}{7}, (-\frac{9}{8}), 0, (-1) \in \mathbb{Q}$. Eine reelle Zahl, die nicht rational ist, heißt *irrational*. So sind z.B. $\sqrt{2}$ und $(-\sqrt{2})$ irrationale Zahlen.

Das Bild der Zahlengeraden suggeriert eine natürliche Ordnung auf der Menge $\mathbb{R}$. Diese Ordnung wird einfach von der Teilmenge $\mathbb{X}$ übernommen: Für Zahlen aus $\mathbb{X}$ bleibt alles beim Alten, für jede negative Zahl $(-X)$ und jede Zahl $Y \in \mathbb{X}$ setzt man $(-X) < Y$, für zwei negative Zahlen $(-X)$ und $(-Y)$ setzt man genau dann $(-X) < (-Y)$, wenn im Bereich $\mathbb{X}$ die Ungleichung $Y < X$ gilt. Anschaulich liegt der »Spiegelpunkt« $(-X)$ links vom »Spiegelpunkt« $(-Y)$, wenn der Punkt X rechts von Y liegt:

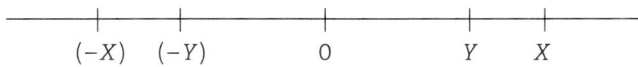

Dass man die Elemente der Menge $\mathbb{R}$ als reelle Zahlen bezeichnet und von rationalen und irrationalen Zahlen spricht, ist natürlich nur dann gerechtfertigt, wenn man mit ihnen rechnen kann. Dabei versteht es sich von selbst, dass sämtliche Rechenregeln, die man gewohnt ist, die im Zahlbereich $\mathbb{X}$ gültig sind, auch im neuen Zahlbereich $\mathbb{R}$ zu gelten haben. Diese Forderung ist gerade haarscharf erfüllbar. Ohne auf weitere Details einzugehen, stellen wir fest, dass es überhaupt nur eine einzige Möglichkeit gibt, unter Beibehaltung aller Rechenregeln die Addition und die Multiplikation von $\mathbb{X}$ auf den gesamten Bereich $\mathbb{R}$ auszudehnen. Konkret ist die Addition und die Multiplikation auf $\mathbb{R}$ folgendermaßen zu definieren.

Im Bereich $\mathbb{X}$ bleibt alles beim Alten. Ferner setzt man für $X, Y \in \mathbb{X}$

$\langle + \rangle \quad (-X) + (-Y) = (-(X+Y))$

$\langle + \rangle \quad (-X) + Y = Y + (-X) = Y - X$, falls $X \leq Y$

$\langle + \rangle \quad (-X) + Y = Y + (-X) = (-(X-Y))$, falls $Y \leq X$

$$\langle\,\cdot\,\rangle \quad (-X)\cdot(-Y)=X\cdot Y$$
$$\langle\,\cdot\,\rangle \quad (-X)\cdot Y=Y\cdot(-X)=(-(X\cdot Y))$$

Dass der mit dieser Addition und Multiplikation ausgerüstete Zahlbereich $\mathbb{R}$ sämtliche bekannten Rechenregeln, speziell die Regeln (KA), (AA), (KM), (AM) und (D) erfüllt, kann leicht durch Fallunterscheidungen bestätigt werden. Ferner ist (so wie im Bereich $\mathbb{X}$) die Division stets eindeutig ausführbar: Für alle $A, B \in \mathbb{R}$, wo $A \neq 0$ vorausgesetzt wird, gibt es genau ein $X \in \mathbb{R}$, sodass $A \cdot X = B$ gilt. Überdies ist nun (anders als im Bereich $\mathbb{X}$) die Subtraktion uneingeschränkt ausführbar: Für alle $A, B \in \mathbb{R}$ gibt es genau ein $D \in \mathbb{R}$, sodass $A + D = B$ gilt. Diese Zahl D, für die man $B - A$ schreibt, ist durch Fallunterscheidungen wie folgt festgelegt. Für alle $X, Y \in \mathbb{X}$ gilt:

$$\langle - \rangle \quad X - Y = (-(Y - X)) \,, \text{ falls } X \leq Y$$
$$\langle - \rangle \quad (-X)-(-Y) = Y - X \,, \text{ falls } X \leq Y$$
$$\langle - \rangle \quad (-X)-(-Y) = (-(X - Y)) \,, \text{ falls } Y \leq X$$
$$\langle - \rangle \quad (-X) - Y = (-(X + Y))$$
$$\langle - \rangle \quad X - (-Y) = X + Y$$

An dieser Stelle eine Bemerkung zur Schreibweise negativer Zahlen. Es ist üblich, die Klammern wegzulassen. Wir schreiben also z. B. statt (-2) einfach -2. Ferner versteht man für eine negative Zahl $R \in \mathbb{R}$ unter $-R$ die positive Zahl $0 - R$. Für $R = -2$ ist also $-R = 2$.

Bevor wir mit einer faszinierenden und weit tragenden Eigenschaft der Zahlengeraden $\mathbb{R}$ schließen, wollen wir die angekündigte mengentheoretische Dingfestmachung der negativen Zahlen durchführen. Dazu haben wir für jedes von $\emptyset$ verschiedene $X \in \mathbb{X}$ die »Gegenzahl« $(-X)$ als eine Menge zu definieren, die kein Element der Menge $\mathbb{X}$ ist. Überdies muss dies so gemacht werden, dass stets $(-X) \neq (-Y)$ gilt, wenn immer $X \neq Y$ gilt. Dabei muss man ein wenig aufpassen und auch in Betracht ziehen, dass die Menge $\mathbb{N}$ mit der Teilmenge

$\mathbb{B}_\nu$ von $\mathbb{B}$ und die Menge $\mathbb{B}$ mit der Teilmenge $\mathbb{X}_\beta$ von $\mathbb{X}$ identifiziert wurde. Würde man z.B. unbekümmert $(-X) = \{\emptyset, X\}$ setzen, so hätte man $(-0) = \{\emptyset, \emptyset\} = \{\emptyset\} = 1$ nach der von Neumann'schen Definition und, noch schlimmer, $(-1) = \{\emptyset, 1\} = 2$. Keinesfalls hätte man $(-X) \notin \mathbb{X}$ für alle $X \in \mathbb{X}$.

Es versteht sich von selbst, dass einer Definition der negativen Zahlen keine inhaltliche Bedeutung zukommt. Solange den obigen Anforderungen Genüge getan wird, ist es völlig egal, wie man die negativen Zahlen definiert. Wichtig ist einzig, dass man sie definiert. Demonstrativ geben wir daher nicht nur eine, sondern gleich fünf alternative Definitionen und laden den Leser ein, genau zu prüfen, dass jede einzelne dieser Definitionen (unabhängig von allen Identifikationen) alle Anforderungen erfüllt. Konkret setzen wir stets $(-\emptyset) = \emptyset$ und definieren für $X \in \mathbb{X}$ mit $X \neq \emptyset$ alternativ $(-X) = (\emptyset, X) = \{\{\emptyset\}, \{\emptyset, X\}\}$ oder $(-X) = \{1, X\}$ oder $(-X) = \{\mathbb{N}, X\}$ oder $(-X) = \{X\}$ oder $(-X) = X \times \{\emptyset\}$. (Bei der letzten Definition kann man sich übrigens die Voraussetzung $X \neq \emptyset$ sparen, da man für $X = \emptyset$ automatisch $(-\emptyset) = \emptyset \times \{\emptyset\} = \emptyset$ erhält.)

Wenn wir den Aufbau des Zahlbereichs betrachten, wie wir ausgehend von der Menge $\mathbb{N}$ der natürlichen Zahlen die Menge $\mathbb{B}$ der Bruchzahlen gewonnen haben, damit dann den Zahlenstrahl $\mathbb{X}$ und damit wiederum die Zahlengerade $\mathbb{R}$, drängt sich natürlich eine Frage auf: Geht es noch weiter oder sind wir damit am Ende angelangt?

Um dem mit den so genannten komplexen Zahlen vertrauten Leser, der diese Frage spontan mit *Ja* zu beantworten geneigt sein könnte, gleich den Wind aus den Segeln zu nehmen, fragen wir genauer: Kann man den Zahlbereich $\mathbb{R}$ unter Beibehaltung aller (insbesondere der mit der Ordnung zusammenhängenden) Rechenregeln zu einem umfassenderen »Zahlbereich« ausdehnen? Die Antwort lautet: NEIN, außer man ist bereit, eine essentielle Eigenschaft des Zahlbereiches $\mathbb{R}$ zu verlieren. Eine solche ist das in 4.6 erwähnte **Archimedische Prinzip**, das erst die Dezimalzahlendarstellung einer reellen Zahl ermöglicht. S.111

Wenn man nicht bereit ist, die natürliche Ordnung auf $\mathbb{R}$ künstlich zu verändern (insbesondere das Archimedische Prinzip zu opfern), ist es tatsächlich unmöglich, die Menge $\mathbb{R}$ der reellen Zahlen zu einem umfassenderen »Zahlbereich« zu erweitern. Da eine solide Begründung dafür den Rahmen des vorliegenden Buches sprengen würde, können wir abschließend nur festhalten: Der Zahlbereich $\mathbb{R}$ ist vollständig. Er steht am Gipfelpunkt einer dreitausend Jahre währenden Entwicklung des Zahlbegriffs, nicht weil man nichts Besseres mehr gefunden hat, sondern weil man prinzipiell nichts Besseres finden kann.

VERTIEFUNGEN

Der unendliche Regress

Ein wichtiges Prinzip zum Beweis negativer Aussagen über natürliche Zahlen stammt von Pierre de Fermat (1601–1665), der es *descente infinie* nannte. Wir sprechen genauer vom Prinzip der Unmöglichkeit eines unendlichen Regresses:

Um nachzuweisen, dass keine natürliche Zahl eine gewisse Eigenschaft $\mathfrak{E}$ besitzen kann, genügt es Folgendes zu zeigen:
(Reg) Wenn irgendeine natürliche Zahl n die Eigenschaft $\mathfrak{E}$ besitzt, dann gibt es auch eine natürliche Zahl m kleiner als n mit der Eigenschaft $\mathfrak{E}$.

Warum ist damit die Unmöglichkeit einer Eigenschaft $\mathfrak{E}$ für natürliche Zahlen nachgewiesen? Nun, wenn nur eine einzige Zahl n die Eigenschaft $\mathfrak{E}$ erfüllen würde, brächte der unendliche Regress (Reg) die Mengenlehre zum Einsturz: Nennen wir zur Abkürzung n eine $\mathfrak{E}$-Zahl, wenn n eine natürliche Zahl ist, die die Eigenschaft $\mathfrak{E}$ besitzt. Angenommen, (Reg) funktioniert. Wenn es nun eine $\mathfrak{E}$-Zahl n_1 gibt, dann gibt es wegen (Reg) eine $\mathfrak{E}$-Zahl n_2, für die $n_2 < n_1$ gilt. Da n_2 eine $\mathfrak{E}$-Zahl ist, gibt es wegen (Reg) dann ferner aber auch eine $\mathfrak{E}$-Zahl n_3, für die $n_3 < n_2$ gilt. Eine neuerliche Anwendung von (Reg) liefert eine $\mathfrak{E}$-Zahl n_4, für die $n_4 < n_3$ gilt. Durch sukzessive Anwendung von (Reg) erhält man eine Kette $n_1 > n_2 > n_3 > n_4 > n_5 > ...$, die umso länger wird, je öfter man (Reg) anwendet. Da uns nichts hindert, (Reg) beliebig oft anzuwenden, gibt es daher eine Kette $n_1 > n_2 > n_3 > n_4 > n_5 > ...$ von $\mathfrak{E}$-Zahlen, die beliebig lang ist. Eine abfallend geordnete Kette natürlicher Zahlen kann aber unmöglich beliebig lang sein. Wenn man z. B. bei $n_1 = 1000$ startet, dann gehen einem nach spätestens tausend Schritten die natürlichen Zahlen aus und die Kette muss abbrechen.

Das Prinzip lässt sich natürlich auch mengentheoretisch begründen. Wir bilden die Menge M aller natürlichen Zahlen n, die die fragliche Eigenschaft $\mathfrak{E}$ erfüllen. M ist eine Teilmenge von $\mathbb{N}$. Nun liegt es im Wesen der natürlichen Ordnung, dass jede von $\emptyset$ verschiedene Teilmenge von $\mathbb{N}$ ein kleinstes Element enthält. Bezogen auf die Eigenschaft $\mathfrak{E}$ besagt aber (Reg), dass es zu jedem $n \in M$ ein $m \in M$ gibt, sodass $m<n$ gilt, kurz, dass die Menge M kein kleinstes Element enthalten kann. Damit es hier zu keinem Widerspruch kommt, muss der unendliche Regress im wahrsten Sinne des Wortes im Leeren verlaufen (nicht: ins Leere laufen), d.h. es muss $M \neq \emptyset$ falsch sein, ergo $M = \emptyset$ richtig sein. Nun ist M aber genau dann die leere Menge, wenn keine natürliche Zahl die Eigenschaft $\mathfrak{E}$ besitzt. Fazit: Wenn (Reg) durchgeht, dann erfüllt keine natürliche Zahl die Eigenschaft $\mathfrak{E}$.

Das bei dieser Argumentation verwendete Prinzip, dass jede von $\emptyset$ verschiedene Teilmenge von $\mathbb{N}$ ein kleinstes Element enthält, das sog. *Wohlordnungsprinzip*, ist zwar anschaulich klar, streng genommen aber auch beweisbedürftig. Wenn $\mathbb{N}$ mit Hilfe der von Neumann'schen Modellmengen definiert ist, ist das Wohlordnungsprinzip eine mengentheoretische Konsequenz der Definition. Wenn man dagegen $\mathbb{N}$ axiomatisch (wie in 2.4 erläutert) einführt, dann erweist sich das Wohlordnungsprinzip logisch äquivalent mit dem Induktionsprinzip (N5). Da das Wohlordnungsprinzip, wie man leicht sehen kann, auch mit dem Prinzip der Unmöglichkeit eines unendlichen Regresses äquivalent ist, handelt es sich bei den drei Prinzipien im Grunde genommen um drei Versionen ein und desselben Prinzips. Welche dieser drei Versionen man in der Praxis als Beweisverfahren zweckmäßigerweise einsetzt, ergibt sich meist aus der Problemstellung. Speziell der unendliche Regress bietet sich in erster Linie an, wenn man die Unmöglichkeit einer Eigenschaft natürlicher Zahlen beweisen will.

Zur Illustration demonstrieren wir dies mit einem alternativen Beweis des in 1.7 bewiesenen Satzes, mit dem wir das pythagoreische Dogma zertrümmert haben. Zur Abkürzung nennen wir eine natürliche Zahl n eine WDQ-Zahl, wenn n die *W*urzel aus dem *D*oppelten des *Q*uadrats einer anderen Zahl m ist, d.h. wenn es eine natürliche Zahl m gibt dergestalt, dass $2 \cdot m^2 = n^2$ gilt. Wir können natürlich keine Beispiele von WDQ-Zahlen anführen, lautet doch die Behauptung, die wir mit Hilfe von (Reg) beweisen wollen: Es gibt überhaupt keine WDQ-Zahl.

Bevor wir dies tun, stellen wir fest, dass eine WDQ-Zahl n automatisch eine gerade Zahl ist. Denn da für eine WDQ-Zahl n definitionsgemäß $n^2 = 2 \cdot m^2$ mit einer passenden Zahl m gilt, ist die Zahl n^2 als das Doppelte der Zahl m^2 gerade. Daher muss die Zahl n selbst gerade sein. Es kommt ja nicht in Frage, dass n ungerade ist, weil das Quadrat einer ungeraden Zahl stets ungerade ist.

Nun nehmen wir hypothetisch an, dass es eine WDQ-Zahl n gibt. Dann gibt es definitionsgemäß eine natürliche Zahl m, sodass $n^2 = 2 \cdot m^2$ gilt. Da m offensichtlich kleiner sein muss als n, funktioniert (Reg), wenn wir zeigen können, dass diese Zahl m selbst eine WDQ-Zahl ist. Nun ist, wie wir vorhin gezeigt haben, n eine gerade Zahl. Die Zahl n kann also halbiert werden: Es gibt eine natürliche Zahl r, sodass $n = 2 \cdot r$ gilt. Es ist dann $n^2 = n \cdot n = (2 \cdot r) \cdot (2 \cdot r) = 2 \cdot 2 \cdot r \cdot r = 2 \cdot (2 \cdot r^2)$. Wir setzen Letzteres für n^2 in die Gleichung $n^2 = 2 \cdot m^2$ ein und bekommen $2 \cdot (2 \cdot r^2) = 2 \cdot m^2$. Den linken Faktor 2 auf beiden Seiten der Gleichung streichen wir weg und erhalten $2 \cdot r^2 = m^2$. Es ist somit m^2 das Doppelte des Quadrats der Zahl r, das heißt aber, dass die Zahl m tatsächlich eine WDQ-Zahl ist. Damit ist (Reg) tatsächlich erfüllt: Wenn es eine WDQ-Zahl gibt, dann gibt es auch eine kleinere WDQ-Zahl. Wegen der Unmöglichkeit eines unendlichen Regresses kann es daher überhaupt keine WDQ-Zahl geben.

Beweis des Hauptsatzes

Wir zerlegen den Hauptsatz der Zahlentheorie (vgl.1.3) in zwei Teilsätze, die wir nacheinander beweisen werden. Zunächst zeigen wir

(1) Jede von 0 und 1 verschiedene natürliche Zahl lässt sich als Produkt von Primzahlen schreiben.

Anschließend berufen wir uns auf (1) und zeigen:

(2) Die Darstellung einer von 0 und 1 verschiedenen natürlichen Zahl als Produkt von Primzahlen ist (abgesehen von der Reihenfolge der Faktoren) eindeutig.

Beide Behauptungen zeigen wir mit Hilfe eines unendlichen Regresses. Dazu formulieren wir zunächst (1) so um, dass eine Negativ-Aussage vorliegt. Wir nennen eine natürliche Zahl n eine »Un-Zahl«, wenn n verschieden von 0 und 1 ist und sich nicht als Produkt von Primzahlen schreiben lässt. Dann ist (1) offenbar gleichbedeutend mit

(1') Es gibt überhaupt keine Un-Zahl.

Wegen der Unmöglichkeit des unendlichen Regresses ist (1') bewiesen, wenn wir zeigen können:

(Reg1) Wenn n irgendeine Un-Zahl ist, dann gibt es eine Un-Zahl m, sodass $m < n$ gilt.

Um (Reg1) nun zu zeigen, sei n eine Un-Zahl. Dann gilt automatisch $1 < n$. Ferner kann n keine Primzahl sein, denn sonst wäre ja n ein Primzahlprodukt (mit sich selbst als einzigem Faktor). Es muss daher $a, b \in \mathbb{N}$ geben mit $a \cdot b = n$ und $1 < a$ und $1 < b$. Insbesondere muss dann $a < n$ und $b < n$ gelten. Wir behaupten nun, dass wenigstens eine der beiden Zahlen a und b eine Un-Zahl ist, womit dann auch schon (Reg1) verifiziert ist. Wäre nämlich sowohl a als auch b keine Un-Zahl, dann müsste a (wegen $1 < a$) als Produkt von Primzahlen darstellbar sein und b (wegen $1 < b$) als Produkt von Primzahlen darstellbar sein. Aus diesen Primfaktorendarstellungen würde man aber durch Zusammensetzung sofort eine Primfaktorendarstellung von $a \cdot b = n$ gewinnen. Das kann aber nicht sein, da n nach Voraussetzung eine Un-Zahl ist und sich eben nicht als Produkt von Primzahlen schreiben lässt.

Damit ist (1') und daher auch (1) bewiesen. Um nun (2) zu beweisen, formulieren wir wieder um. Wir nennen eine natürliche Zahl n eine »Viel-Zahl«, wenn n verschieden von 0 und 1 ist und die nach (1) garantiert vorhandene Darstellung von n als Produkt von Primzahlen nicht eindeutig ist, also wenn es mindestens zwei wirklich (d.h. nicht auf die Reihenfolge der Faktoren bezogen) verschiedene Darstellungen von n als Produkt von Primzahlen gibt. Dann ist (2) offenbar gleichbedeutend mit

(2') Es gibt keine Viel-Zahlen.

Wegen der Unmöglichkeit des unendlichen Regresses ist (2') bewiesen, wenn wir zeigen können:

(Reg2) Wenn n irgendeine Viel-Zahl ist, dann gibt es eine Viel-Zahl m, sodass $m < n$ gilt.

Um (Reg2) zu zeigen, sei also n eine Viel-Zahl. Dann ist n größer als 1 und hat zwei wesentlich verschiedene Primfaktorendarstellungen. Wir unterscheiden nun zwei Fälle. Es kann erstens sein, dass jede Primzahl, die in der einen Darstellung auftritt, auch in der anderen Darstellung auftritt. Wenn das der Fall ist und p eine solche Primzahl ist, dann streichen wir in beiden Darstellungen einmal den Faktor p weg und erhalten so zwei wesentlich verschiedene Primfaktorendarstellungen der natürlichen Zahl $\frac{n}{p}$. Mit $m = \frac{n}{p}$ haben wir dann eine Viel-Zahl gewonnen, für die wegen $1 < p$ sicher $m < n$ gilt, und (Reg2) ist erledigt. Im anderen Fall gibt es eine Primzahl p, die in der einen Darstellung auftritt, in der anderen jedoch nicht. Dann muss es eine von p verschiedene Primzahl q und natürliche Zahlen a, b geben, sodass $p \cdot a = n = q \cdot b$ gilt, wobei b entweder gleich 1 ist oder als Produkt von Primzahlen geschrieben werden kann, die alle verschieden von p sind. Bei näherer Betrachtung erweist sich $b = 1$ als unmöglich, denn sonst hätte man ja eine Zerlegung der Primzahl q in $p \cdot a$. (Dabei ist $a = 1$ wegen $p \neq q$ ausgeschlossen.) Es ist also $1 < b$. Nun gilt entweder $p < q$ oder $q < p$. Es genügt, den Fall $p < q$ zu betrachten, im Falle $q < p$ ist die nun folgende Argumentation analog. Wir bilden die Zahl $m = (q-p) \cdot b$. Wegen $0 < q-p < q$ und $1 < b$ und $n = q \cdot b$ gilt $1 < m < n$. Die Zahl m kann man umschreiben:

$$m = (q-p) \cdot b = (q \cdot b) - (p \cdot b) = n - (p \cdot b) = (p \cdot a) - (p \cdot b) = p \cdot (a-b),$$

also $m = (q-p) \cdot b$ und $m = p \cdot (a-b)$. Da die Zahl $a-b$ nicht gleich 0 sein kann (sonst wäre ja m gleich 0), ist sie entweder 1 oder sie hat wegen (1) eine Primfaktorendarstellung. Daher muss m wegen $m = p \cdot (a-b)$ eine Primfaktorendarstellung haben, in der die Primzahl p vorkommt.

Da b als Produkt von Primzahlen geschrieben werden kann, die alle verschieden von p sind, und das – wie wir gleich zeigen werden – auch für die Zahl $q-p$ im Falle $q-p \neq 1$ gilt, hat m wegen $m = (q-p) \cdot b$ eine Primfaktorendarstellung, in der die Primzahl p nicht vorkommt.

Somit besitzt m zwei wesentlich verschiedene Primfaktorendarstellungen: eine, in der p vorkommt, und eine, in der p nicht vorkommt. Daher ist m eine Viel-Zahl, für die $m < n$ gilt. Es ist also (Reg2) endgültig verifiziert und damit der Beweis des Hauptsatzes abgeschlossen, wenn nachgewiesen ist, dass die Zahl $q-p$ im Falle $q-p \neq 1$

als Produkt von Primzahlen geschrieben werden kann, die alle verschieden von p sind. Unter Berufung auf (1) genügt es zu zeigen, dass die Primzahl p in keiner Primfaktorendarstellung von $q-p$ auftreten kann. Dieser Nachweis ist schnell erbracht. Würde nämlich p in einer Primfaktorendarstellung von $q-p$ auftreten, so bekäme man durch Streichung des Faktors p die natürliche Zahl $\frac{q-p}{p}$. Dann wäre aber auch $\frac{q}{p}$ wegen $\frac{q}{p} = \frac{q-p}{p} + 1$ eine natürliche Zahl. Es gäbe also ein $k \in \mathbb{N}$, sodass $\frac{q}{p} = k$ gilt. Daraus gewänne man aber die Darstellung $q = p \cdot k$, wo wegen $p \neq q$ automatisch $k \neq 1$ gelten müsste. So eine Darstellung ist aber unmöglich, da q eine Primzahl ist.

Das Archimedische Prinzip

Das Archimedische Prinzip besagt Folgendes:

> Zu jeder positiven reellen Zahl R gibt es mindestens eine natürliche Zahl k, sodass $R < k$ gilt.

Diese Behauptung ist anschaulich klar und kann wie folgt bewiesen werden. Eine positive reelle Zahl R ist *per definitionem* eine Zahl des Zahlenstrahls $\mathbb{X}$, also ein Segment. Insbesondere gilt $R \neq \mathbb{B}$. Da R eine Teilmenge von $\mathbb{B}$ ist, muss es daher ein Element b der Menge $\mathbb{B}$ geben, das kein Element der Menge R ist. Wegen der Segmenteigenschaft (S3) (vgl. 4.3) gilt dann $R \subset [b]$ und wegen der Identifikation von $\mathbb{B}$ mit $\mathbb{X}_\mathbb{B} \subset \mathbb{X}$ somit $R \leq b$. Schreibt man $b = \frac{n}{m}$ mit passenden $n, m \in \mathbb{N}$, so gilt nach der »$\mathbb{B}$ in $\mathbb{N}$ Hineinspring«-Regel $b \cdot m = n$ und daher automatisch $b \leq n$. Setzt man $k = n + 1$, so gilt $b < k$. Wegen $R \leq b$ gilt dann $R < k$ und wir haben in k die gewünschte natürliche Zahl gefunden und somit das Archimedische Prinzip bewiesen.

Um nun ferner das in 4.6 formulierte Abrundungsprinzip zu beweisen, also zu zeigen, dass es zu jedem $X \in \mathbb{X}$ genau ein $N \in \mathbb{N}$ gibt, wo $N \leq X < N+1$ gilt, bilden wir die Menge $M = \{ k \in \mathbb{N} \mid X < k \}$. Nach dem soeben bewiesenen Archimedischen Prinzip ist M nicht die leere Menge. Wegen der Wohlordnungseigenschaft der natürlichen Zahlen gibt es ein kleinstes Element m in der Menge M. Kleinstes Element bedeutet, dass $m \in M$ gilt und $m \leq n$ für alle $n \in M$ gilt. Insbesondere ist m eindeutig, mehrere kleinste Elemente kann es nicht geben. Wir behaupten nun, dass unsere gesuchte Zahl N gleich $m-1$ ist. Zunächst ist festzustellen, dass $m \neq 0$ gilt und daher $N = m-1$ überhaupt eine natürliche Zahl ist. Da $X < 0$ unmöglich ist, kann 0 kein Element von M sein und wegen $m \in M$ gilt also tatsächlich $m \neq 0$. Wegen $N + 1 = m$ und $m \in M$ ist $X < N + 1$ bereits erfüllt. Um nun auch $N \leq X$ zu verifizieren, bedenke man, dass m das kleinste Element von M ist. Da die natürliche Zahl $N = m-1$ kleiner als m, also kleiner als das kleinste Element von M ist, kann N kein Element von M sein. Daher muss die Bedingung $X < k$ für $k = N$ falsch sein. Wenn aber $X < N$ falsch ist, dann gilt automatisch $N \leq X$ und wir haben in N eine natürliche Zahl gefunden, wo $N \leq X < N + 1$ gilt. Da es offensichtlich keine andere natürliche Zahl mit dieser Eigenschaft geben kann, sind wir fertig.

Bijektion und Mengenvergleich

Bei der Definition der Anzahl der Elemente einer endlichen Menge haben wir den Begriff Bijektion intuitiv verwendet. Genauer haben wir intuitiv erklärt, was es bedeutet, eine Bijektion zwischen zwei Mengen herstellen zu können. Wenn man sämtliche mathematischen Begriffe auf den Grundbegriff der Menge zurückführen will, dann muss man auch hier konsequent sein. Um nun auch den Begriff Bijektion mengentheoretisch zu definieren, fragen wir uns, wie man möglichst bequem erkennen kann, ob sich zwischen zwei Mengen eine Bijektion im Sinne einer umkehrbar eindeutigen Zuordnung herstellen lässt oder nicht.

Die wohl bequemste Vorgehensweise lautet Zurücklehnen und Kommandieren. Wir betrachten zwei Mengen D und H und werden nun mit einem kurzen Kommando einen Prozess in Gang setzen, bei dem es sich von selbst erweist, ob sich eine Bijektion zwischen D und H herstellen lässt. Wir nennen D die Damenmenge und H die Herrenmenge. Die Elemente von D sind Damen, die Elemente von H sind Herren. Diese Sprechweise ist natürlich nur illustrativ. So setzen wir nicht etwa voraus, dass die Mengen D und H endlich sind, schon allein deswegen nicht, weil wir sonst in einen logischen Zirkel geraten könnten. Der Begriff endlich ist ja mit Hilfe einer Bijektion definiert worden und darf daher für die Definition dieses Begriffs nicht herangezogen werden.

Um zu erkennen, ob sich eine Bijektion zwischen der Damenmenge D und der Herrenmenge H herstellen lässt, geben wir ein Kommando, das wir dem Wiener Opernball entnehmen, wo es elliptisch heißt: »Alles Walzer!« Wenn alle anwesenden Damen und alle anwesenden Herren walzertanzend im Ballsaal unterwegs sind, dann wissen wir: Es muss genauso viele Damen wie Herren geben. Die Tanzpaare besitzen ihr mengentheoretisches Pendant in den geordneten Paaren. Wenn d eine Dame aus der Damenmenge D und h ein Herr aus der Herrenmenge H ist, die gemeinsam tanzen, bilden wir das Paar (d, h). Fasst man alle »Tanzpaare« (d, h) in einer Menge T zusammen, dann ist T eine Teilmenge der Menge $D \times H$.

Diese Menge T ist es, die uns erkennen lässt, ob eine Bijektion zwischen D und H hergestellt werden kann. Auf natürliche Weise definieren wir nun eine Bijektion zwischen einer Menge D und einer Menge H als eine Teilmenge B der Menge $D \times H$, wo die beiden folgenden Eigenschaften erfüllt sind:

(B1) Zu jedem $d \in D$ gibt es genau ein $h \in H$, sodass $(d, h) \in B$ gilt.

(B2) Zu jedem $h \in H$ gibt es genau ein $d \in D$, sodass $(d, h) \in B$ gilt.

Mittels einer Bijektion B zwischen D und H wird somit jeder Dame d ein eindeutig bestimmter Herr h zugeordnet, nämlich das nach (B1) eindeutig bestimmte Element h der Herrenmenge H, für das $(d, h) \in B$ gilt. Umgekehrt wird jedem Herrn h »als Tanzpartnerin« das nach (B2) eindeutig bestimmte Element d der Damenmenge D zugeordnet mit $(d,h) \in B$.

Mit Hilfe des Begriffs *Bijektion* kann nicht nur der Begriff endliche Menge und Anzahl der Elemente einer endlichen Menge sauber definiert werden, er schafft auf natürliche Weise auch die Möglichkeit, unendliche Mengen ihrer »Größe« nach zu vergleichen. Wir nennen eine Menge X mit einer Menge Y *gleichmächtig*, wenn es eine Bijektion B zwischen X und Y gibt. Dann ist automatisch auch Y mit X gleichmächtig, denn wenn B eine Bijektion zwischen X und Y ist, dann ist $\{(y,x) \mid (x,y) \in B\}$ offensichtlich eine Bijektion zwischen Y und X. Man kann daher auch symmetrisch sagen: X und Y sind gleichmächtig.

Es ist anschaulich klar, dass endliche Mengen X und Y genau dann gleichmächtig sind, wenn sie dieselbe Anzahl von Elementen haben, also wenn $|X| = |Y|$ gilt. Auch wenn $|X|$ nur für endliche Mengen definiert ist, schreibt man gerne $|X| = |Y|$ für beliebige Mengen X und Y, wenn X und Y gleichmächtig sind. Diese Gleichungsschreibweise ist durchaus natürlich, da aus Symmetriegründen $|X| = |Y|$ äquivalent mit $|Y| = |X|$ ist und da man für drei Mengen X, Y, Z leicht zeigen kann, dass $|X| = |Z|$ gilt, wenn $|X| = |Y|$ und $|Y| = |Z|$ gilt.

Es ist evident, dass eine endliche Menge nie mit einer unendlichen Menge gleich mächtig sein kann. Beispiele endlicher Mengen, die nicht gleichmächtig sind, kann man natürlich leicht finden, dagegen ist es gar nicht so leicht, zwei unendliche Mengen X und Y zu finden, die nicht gleichmächtig sind. Betrachtet man z.B. nur Teilmengen X und Y von $\mathbb{N}$, so gilt automatisch $|X| = |Y|$, wenn X und Y unendliche Mengen sind. Um das einzusehen, genügt es zu zeigen, dass jede unendliche Teilmenge Z von $\mathbb{N}$ mit $\mathbb{N}$ gleichmächtig ist. Denn dann gilt $|X| = |Y|$ wegen $|X| = |\mathbb{N}|$ und $|Y| = |\mathbb{N}|$.

Eine Bijektion zwischen einer unendlichen Teilmenge Z von $\mathbb{N}$ und der Menge $\mathbb{N}$ zu finden, ist nun nicht schwierig. Tatsächlich gibt es sogar unendlich viele Bijektionen zwischen Z und $\mathbb{N}$. Unter diesen befindet sich eine, die man als *kanonisch* bezeichnen kann, nämlich

$$\mathfrak{B} = \{\, (n, z) \mid n \in \mathbb{N} \;\wedge\; z \in Z \;\wedge\; |\{x \in Z \mid x < z\}| = n \,\}.$$

Dabei wird jede natürliche Zahl n mit derjenigen Zahl $z \in Z$ zu (n, z) gepaart, wo die Anzahl der Zahlen x aus Z, die in der natürlichen Ordnung der Zahl z vorangehen, gerade gleich n ist. Dass die Menge $\mathfrak{B}$ tatsächlich eine Bijektion ist, wollen wir zunächst mit einem Beispiel illustrieren und dann allgemein begründen.

Ist etwa Z gleich der Menge $\mathbb{P}$ aller Primzahlen, dann ist $n = 0$ mit $z = 2$ gepaart, gilt also $(0, 2) \in \mathfrak{B}$, da 2 die kleinste Primzahl und daher die einzige Primzahl ist, der keine Primzahlen vorangehen, wo also $\{x \in \mathbb{P} \mid x < 2\} = \emptyset$ und daher $|\{x \in \mathbb{P} \mid x < 2\}| = 0$ gilt. Ferner ist $n = 1$ mit $z = 3$ gepaart, gilt also $(1, 3) \in \mathfrak{B}$, da 3 die einzige Primzahl ist, der genau eine Primzahl vorangeht, wo also $|\{x \in \mathbb{P} \mid x < 3\}| = 1$ gilt, da $\{x \in \mathbb{P} \mid x < 3\} = \{2\}$ gilt. Es ist $n = 2$ mit $z = 5$ gepaart, gilt also $(2, 5) \in \mathfrak{B}$, da 5 diejenige Primzahl ist, der genau zwei Primzahlen vorangehen, wo also $|\{x \in \mathbb{P} \mid x < 5\}| = 2$ gilt, da $\{x \in \mathbb{P} \mid x < 5\} = \{2, 3\}$ gilt. Anschaulich ist $n \neq 0$ mit der n-ten ungeraden Primzahl gepaart: Die Paare $(1, 3), (2, 5), (3, 7)$, $(4, 11), (5, 13)$ usw. bilden gemeinsam mit dem Paar $(0, 2)$ die Menge $\mathfrak{B}$. $\mathfrak{B}$ ist eine Bijektion, weil es zu jedem $n \in \mathbb{N}$ genau eine Primzahl gibt, mit der n gepaart ist, und weil jede Primzahl irgendwann an die Reihe kommt, also mit einer Nummer n versehen wird.

Bei einer allgemeinen unendlichen Menge $Z \subset \mathbb{N}$ ist die Argumentation analog. Wesentlich dabei ist ja einzig, dass in der natürlichen Ordnung stets nur endlich viele Zahlen $x \in Z$ einer Zahl $z \in Z$ vorangehen. Das ist nichts anderes als die Unmöglichkeit eines unendlichen Regresses bei den natürlichen Zahlen! Mit Hilfe der Bijektion $\mathfrak{B}$ kann man anschaulich jedem $n \in \mathbb{N}$ ein eindeutig bestimmtes $z \in Z$ zuordnen. Versieht man dieses z suggestiv mit dem Index n, schreibt also z_n, so ist z_0 das kleinste Element von Z; z_1 das kleinste Element von Z nach z_0; z_2 das kleinste Element von Z nach z_0 und z_1; z_3 das kleinste Element von Z nach z_0, z_1, z_2; z_4 das kleinste Element von Z nach z_0, z_1, z_2, z_3 usw. Damit gewinnt man eine geordnete Aufzählung der

Menge Z: Suggestiv kann man $Z = \{z_0, z_1, z_2, z_3, z_4, z_5, ...\}$ schreiben, wobei $z_0 < z_1 < z_2 < z_3 < z_4 < z_5 < ...$, also $z_m < z_n$ für $m < n$ gilt.

Wenn wir gerade gezeigt haben, dass die Menge $\mathbb{P}$ mit der Menge $\mathbb{N}$ gleichmächtig ist, dann liegt dem ein präziser Sinn zu Grunde, eben dass sich eine Bijektion zwischen $\mathbb{N}$ und $\mathbb{P}$ herstellen lässt. Der Terminus *gleichmächtig* ist der Umgangssprache nur entlehnt, er wird demonstrativ auch nicht getrennt geschrieben. Wir haben insbesondere nicht gezeigt, dass es gleich viele Primzahlen wie natürliche Zahlen gibt, denn »gleich viele« ist ein umgangssprachlicher Ausdruck, der mathematisch nicht definiert ist und bestenfalls nur für endliche Mengen vertraut ist. Wenn man im Licht von $|\mathbb{P}| = |\mathbb{N}|$ nun trotzdem sagen will, dass es gleich viele Primzahlen wie natürliche Zahlen gibt, dann muss man klar deklarieren, was man meint, um nicht missverstanden zu werden. Es ist nämlich zulässig und (wenn man sich z. B. auf das Verteilungsresultat in 1.5 bezieht) durchaus sinnvoll, in einem anderen präzisen Sinn zu sagen, dass es viel weniger Primzahlen als natürliche Zahlen gibt.

Abzählbar unendliche Mengen

In der vorhergehenden Vertiefung haben wir gesehen, dass eine unendliche Menge Z stets gleichmächtig mit $\mathbb{N}$ ist, wenn $Z \subset \mathbb{N}$ gilt. Die geordnete Aufzählung $\{z_0, z_1, z_2, ...\}$ einer solchen Menge legt eine abkürzende Sprechweise nahe: Wir nennen eine Menge A *abzählbar*, wenn A gleichmächtig mit $\mathbb{N}$ ist. Mit dieser Festlegung ist eine abzählbare Menge automatisch unendlich. (Gelegentlich spricht man auch von einer abzählbar unendlichen Menge.)

Jede unendliche Teilmenge von $\mathbb{N}$ ist also abzählbar. Um ein Beispiel zweier unendlicher Mengen X und Y angeben zu können, wo X und Y nicht gleichmächtig sind, ist es zweckmäßig, Mengen Z zu betrachten, von denen $\mathbb{N}$ eine Teilmenge ist. Offensichtlich sind im Falle $\mathbb{N} \subset Z$ die Mengen Z und $\mathbb{N}$ nicht gleichmächtig, wenn die Menge Z nicht abzählbar ist. In einem naiven (und nicht präzisen) Sinn muss eine solche Menge viel »größer«, »umfangreicher«, »reichhaltiger« als die Menge $\mathbb{N}$ sein.

Betrachten wir etwa die Menge $\mathbb{B}$ aller Bruchzahlen. Stellt man sich diese Menge auf der Zahlengeraden vor, so gewinnt man durchaus den Eindruck, dass $\mathbb{B}$ größer, umfangreicher, reichhaltiger als die Menge $\mathbb{N}$ ist, liegen doch zwischen je zwei Bruchzahlen stets unendlich viele weitere Bruchzahlen. Die natürlichen Zahlen erscheinen extrem locker hineingestreut. Zwischen 0 und 1 liegen dichtgepackt unendlich viele Bruchzahlen, ebenso zwischen 1 und 2, zwischen 2 und 3 usw. Die Menge $\mathbb{B}$ wirkt unendlichmal größer als die unendliche Menge $\mathbb{N}$. Naiv gefragt, wie man alle Bruchzahlen je »abzählen« können sollte, ist die Vermutung nicht abwegig, dass $\mathbb{B}$ ein Beispiel einer nicht abzählbaren Menge darstellt, die $\mathbb{N}$ umfasst. Jedoch, der Schein trügt! Wir werden gleich beweisen, und diesmal weist uns die Intuition keinen Weg, dass die Menge $\mathbb{B}$ doch abzählbar ist, und damit die Chancen weiter schmälern, überhaupt ein Beispiel einer nicht abzählbaren unendlichen Menge zu finden.

Bevor wir den Beweis durchführen, gilt es, einen psychologischen Block aufzulösen, der für den trügerischen Schein verantwortlich ist. Die Beispiele der unendlichen Teilmengen von $\mathbb{N}$ bringen nämlich den Begriff abzählbar mit einem Phänomen in Zusammenhang, das einen richtigen Umgang mit diesem Begriff massiv behindert. Die unendlichen Teilmengen von $\mathbb{N}$ lassen sich die natürliche Ordnung berücksichtigend abzählen. Wenn man $\{2,3,5,7,11,13,\ldots\}$ für die abzählbare Menge $\mathbb{P}$ schreibt, so schreibt man ihre Elemente der Größe nach, in einer natürlichen Reihenfolge an. Jede abzählbare Teilmenge von $\mathbb{N}$ kann wegen der Unmöglichkeit eines unendlichen Regresses so aufgeschrieben werden. Das funktioniert aber eben nicht bei der Menge $\mathbb{B}$. So ist etwa die Kette

$$\tfrac{1}{2} > \tfrac{1}{3} > \tfrac{1}{4} > \tfrac{1}{5} > \tfrac{1}{6} > \tfrac{1}{7} > \tfrac{1}{8} > \tfrac{1}{9} > \tfrac{1}{10} > \tfrac{1}{11} > \ldots$$

nicht abbrechend. In der Menge $\mathbb{B}$ ist (im Gegensatz zu $\mathbb{N}$) ein unendlicher Regress möglich. Die Menge $\mathbb{B}$ in der Form $\{b_0, b_1, b_2, b_3, ...\}$ aufschreiben zu wollen, wo $b_0 < b_1 < b_2 < b_3 < ...$ gilt, ist ein aussichtsloses Unterfangen, da man dabei schon unendlich viele Bruchzahlen zwischen b_0 und b_1 auslassen würde. Es ist aber nicht ausgeschlossen, $\mathbb{B}$ in der Form $\{b_0, b_1, b_2, b_3, ...\}$ aufschreiben zu können, wo die Reihenfolge der Eintragungen nichts mit der natürlichen Ordnung zu tun hat. Bei der Abzählbarkeit einer Menge A geht es letztlich einzig darum, dass man die Elemente der Menge irgendwie durchnummerieren kann. Dabei müssen nicht einmal sämtliche natürliche Zahlen als Nummern herangezogen werden. Denn, wie bereits festgestellt, jede unendliche Teilmenge Z von $\mathbb{N}$ ist abzählbar. Daher genügt es zum Nachweis der Abzählbarkeit von $\mathbb{B}$, irgendeine Menge $Z \subset \mathbb{N}$ zusammen mit der Bijektion zwischen $\mathbb{B}$ und Z zu bestimmen.

Um das nun schließlich zu bewerkstelligen, ordnen wir jeder Bruchzahl $\frac{m}{n}$ (in gekürzter Form) quasi als Code die Nummer $2^m \cdot 3^n$ zu. (So ist z.B. 3 der Code der Bruchzahl $0 = \frac{0}{1}$ und 69984 der Code der Bruchzahl $\frac{5}{7}$.) Da 2 und 3 Primzahlen sind, sorgt der Hauptsatz der Zahlentheorie dafür, dass verschiedene Bruchzahlen immer verschiedene Codes haben. (Die Basiszahlen 2 und 3 haben dabei natürlich den Charakter von Hausnummern, genauso gut könnte man jedes andere Paar von Primzahlen verwenden.)

Auf diese Weise ist somit tatsächlich eine Bijektion zwischen $\mathbb{B}$ und einer unendlichen Teilmenge Z von $\mathbb{N}$ hergestellt. (Die Menge Z besteht aus der Zahl 3 und allen Zahlen der Form $2^m \cdot 3^n$, wobei m und n teilerfremde natürliche Zahlen $\neq 0$ sind.) Fazit: Die Menge $\mathbb{B}$ aller Bruchzahlen ist abzählbar!

Im Lichte des soeben erbrachten Beweises erscheint es nun gar nicht mehr ausgeschlossen, dass die Elemente einer unendlichen Menge vielleicht immer irgendwie durchnummeriert werden können, dass vielleicht ohnehin jede unendliche Menge abzählbar ist.

Tatsächlich war diese Frage völlig ungeklärt, bis Cantor gezeigt hat, dass es sehr wohl auch unendliche Mengen gibt, die nicht abzählbar sind.

Die Überabzählbarkeit des Kontinuums

Man nennt eine Menge U *überabzählbar*, wenn U eine unendliche, nicht abzählbare Menge ist. Überabzählbare Mengen sind dermaßen »groß«, dass ihre Elemente mit Hilfe der natürlichen Zahlen nicht mehr durchnummeriert werden können. Nachdem wir gesehen haben, dass selbst so »reichhaltige« Mengen wie $\mathbb{B}$ abzählbar sind, erscheint der Cantor'sche Lehrsatz, den wir nun beweisen wollen, durchaus verblüffend.

Der Satz von Cantor besagt, dass das Kontinuum, also die Menge $\mathbb{R}$ der reellen Zahlen überabzählbar ist. Während ein Beweis der Abzählbarkeit einer Menge A darin besteht, irgendeine Bijektion zwischen $\mathbb{N}$ und A anzugeben, ist ein Beweis der Überabzählbarkeit der Menge $\mathbb{R}$ erst dann erbracht, wenn man schlüssig nachweisen kann, dass es keine Bijektion zwischen $\mathbb{N}$ und $\mathbb{R}$ geben kann. Um das zu bewerkstelligen, wählen wir eine Politik der kleinen Schritte.

Zunächst stellen wir fest, dass es genügt, irgendeine Teilmenge T von $\mathbb{R}$ zu finden, die überabzählbar ist. Auch wenn man versucht ist, es anschaulich klar zu finden, dass dann die Menge $\mathbb{R}$ erst recht überabzählbar sein muss, wollen wir das Attribut *anschaulich* in diesem Zusammenhang nur mit größter Vorsicht verwenden. Wir wissen bereits, dass eine unendliche Teilmenge von $\mathbb{N}$ abzählbar ist. Daraus gewinnt man leicht den Satz, dass eine unendliche Teilmenge einer abzählbaren Menge stets selbst abzählbar ist. Wenn wir also eine Teilmenge T von $\mathbb{R}$ angeben können, die überabzählbar ist, dann muss $\mathbb{R}$ automatisch auch überabzählbar sein, denn die Alternative hieße ja, dass $\mathbb{R}$ abzählbar wäre und somit auch die Teilmenge T abzählbar wäre.

Die Teilmenge $\mathbb{T}$ von $\mathbb{R}$, die wir als überabzählbar entlarven werden, ist die unendliche Menge

$$\mathbb{T} = \{x \in \mathbb{R} \mid 0 \leq x < 1\} \, ,$$

also die Menge aller Punkte auf der Zahlengeraden, die zwischen 0 und 1 liegen, wobei 0 eingeschlossen und 1 ausgeschlossen ist. Da die Menge $\mathbb{T}$ automatisch auch eine Teilmenge des Zahlenstrahls $\mathbb{X}$ ist, folgt aus der Überabzählbarkeit von $\mathbb{T}$ auch die Überabzählbarkeit des Zahlenstrahls $\mathbb{X}$.

Als Nächstes rufen wir uns den Begriff *echte Teilmenge* in Erinnerung: Man nennt X eine echte Teilmenge der Menge Y, wenn X eine Teilmenge von Y ist, jedoch $X \neq Y$ gilt. X ist also eine echte Teilmenge von Y, wenn $X \subset Y$ gilt und es mindestens ein Element von Y gibt, das kein Element von X ist. Mit dem Begriff der echten Teilmenge kann man Unendlichkeitsbeweise elegant einkleiden. So läuft der in 1.4 gegebene Beweis, dass die Menge $\mathbb{P}$ aller Primzahlen eine unendliche Menge darstellt, darauf hinaus zu zeigen:

Jede endliche Teilmenge von $\mathbb{P}$ ist eine echte Teilmenge von $\mathbb{P}$.

Die Überabzählbarkeit der Menge $\mathbb{T}$ weisen wir nun dadurch nach, dass wir Folgendes zeigen:

(*) Jede abzählbare Teilmenge von $\mathbb{T}$ ist eine echte Teilmenge von $\mathbb{T}$.

Mit dem Nachweis von (*) ist tatsächlich bewiesen, dass $\mathbb{T}$ nicht abzählbar sein kann. Wenn nämlich (*) stimmt und $\mathbb{T}$ abzählbar wäre, dann wäre $\mathbb{T}$ eine echte Teilmenge von $\mathbb{T}$. Aber $\mathbb{T}$ selbst kommt natürlich nicht als echte Teilmenge von $\mathbb{T}$ in Frage.

Um nun (*) nachzuweisen, sei also A irgendeine abzählbare Teilmenge von $\mathbb{T}$. Mittels einer dann vorhandenen Bijektion B zwischen

$\mathbb{N}$ und A lässt sich jedes $n \in \mathbb{N}$ mit genau einem $a \in A$ paaren, wobei wir in gewohnter Weise suggestiv $a = a_n$ schreiben. Damit können sämtliche Elemente von A durchnummeriert werden, sodass die Menge A durch

$$A = \{a_n \mid n \in \mathbb{N}\}$$

gegeben ist. Die Behauptung (*) ist verifiziert, wenn wir zeigen können, dass es mindestens ein Element t der Menge $\mathbb{T}$ geben muss, das nicht in A liegt. Wir werden also zeigen:

(**) Es gibt ein $t \in \mathbb{T}$, sodass $t \neq a_n$ für alle $n \in \mathbb{N}$ gilt.

Anders formuliert läuft die Geschichte darauf hinaus, dass bei irgendeiner Nummerierung von Elementen von $\mathbb{T}$ garantiert mindestens ein Element von $\mathbb{T}$ (mangels genügend vieler Nummern) unnummeriert bleibt.

Bevor wir nun ein $t \in \mathbb{T}$ angeben, das in der Menge A fehlt, ist ein naheliegendes Missverständnis zu klären. Man könnte den Eindruck gewinnen, dass das Fehlen eines Elements t in der Menge A gar nicht so schlimm ist, dass es gar fragwürdig ist, ob damit wirklich die Überabzählbarkeit von $\mathbb{T}$ bewiesen ist. Denn wenn nur ein $t \in \mathbb{T}$ in der abzählbaren Menge A fehlt, dann könnte man es ja in die Menge A nachträglich aufnehmen, also die Menge $A' = \{x \mid x \in A \text{ oder } x = t\}$ bilden, die dieses t dann als Element enthält. Man kann leicht zeigen, dass die neue Menge A' auch abzählbar ist, und hat somit eine abzählbare Teilmenge von $\mathbb{T}$, in der t nicht fehlt. Das ist auch richtig, nur nützt es nichts: Wenn (*) stimmt, dann gibt es eben ein anderes Element von $\mathbb{T}$, das in der neuen Menge A' fehlt! Dem Prinzip (*) liegt eine Art Sisyphos-Moral zugrunde: Egal wie geschickt ich mich anstelle, eine möglichst umfassende abzählbare Teilmenge von $\mathbb{T}$ zu finden, irgend ein Element von $\mathbb{T}$ wird zwangsläufig in ihr fehlen.

Um nun zum Nachweis von (**) und damit von (*) eine Zahl $t \in \mathbb{T}$ anzugeben, die garantiert von sämtlichen Zahlen $a_0, a_1, a_2, \ldots$ der Menge A verschieden ist, denken wir uns die Zahlen $a_0, a_1, a_2, \ldots$ in ihrer Dezimalzahlendarstellung aufgeschrieben. Die Darstellung soll unendlich und eindeutig sein, d.h. bei einer abbrechenden Dezimalzahl hängen wir unendlich viele Ziffern 0 an und eine Sequenz von unendlich vielen Neunern ist verboten. Z.B. schreiben wir 0,50000000000000000... für $0,5 = \frac{1}{2}$ und keinesfalls 0,49999999999999999... Nun denken wir uns die Dezimalzahlendarstellungen der Zahlen $a_0, a_1, a_2, \ldots$ übersichtlich in ein »unendliches« Rechtecksschema der folgenden Art hineingeschrieben

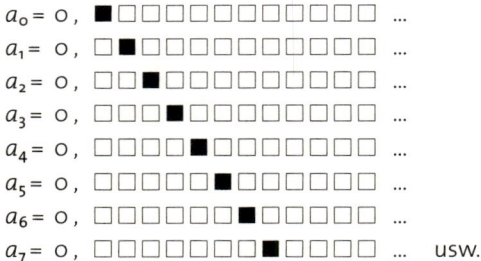

Die Kästchen werden dabei mit den Ziffern der jeweiligen Dezimalzahlendarstellung gefüllt. Bei diesem Schema haben wir in jeder Zeile eines der Kästchen schwarz eingefärbt, dass diese Kästchen eine Diagonale des »unendlichen Kästchen-Rechtecks« bilden. Die dort stehenden Ziffern wollen wir auch Diagonalziffern nennen. Dieselbe ist bei a_0 die erste Ziffer unmittelbar nach dem Dezimalkomma, bei a_1 die zweite, bei a_2 die dritte. Allgemein steht die Diagonalziffer von a_n an $(n+1)$-ter Stelle nach dem Dezimalkomma. Wir wollen diese Diagonalziffer mit $D(n)$ bezeichnen. Nach dem in 4.6 verwendeten Abrundungsprinzip ist die Diagonalziffer $D(n)$ identisch mit der Zahl $N(10^{n+1} \cdot a_n) - 10 \cdot N(10^n \cdot a_n)$.

Mit Hilfe der Diagonalziffern aller Zahlen a_n in der abzählbaren Menge A konstruieren wir nun eine Zahl $t \in \mathbb{T}$, deren Dezimalzahlendarstellung folgendermaßen gegeben sei: Dieselbe beginnt mit 0 vor dem Dezimalkomma (denn sonst wäre ja t kein Element von $\mathbb{T}$), dann sei nach dem Dezimalpunkt

· die erste Ziffer gleich 7, wenn $D(0) = 5$ gilt, ansonsten gleich 5;
· die zweite Ziffer gleich 7, wenn $D(1) = 5$ gilt, ansonsten gleich 5;
· die dritte Ziffer gleich 7, wenn $D(2) = 5$ gilt, ansonsten gleich 5.

Allgemein sei die $(n+1)$-te Ziffer nach dem Dezimalkomma gleich 7 im Falle $D(n) = 5$ und gleich 5 im Falle $D(n) \neq 5$.

Wir behaupten nun, dass die so konstruierte Zahl t, in deren Dezimalzahlendarstellung keine anderen Ziffern als 5 und 7 auftreten, nicht in der abzählbaren Menge A liegt, dass sie von allen Elementen $a_0, a_1, a_2, \ldots$ der Menge A verschieden ist. Tatsächlich ist die Zahl t so konstruiert, dass sofort festzustellen ist:

Es gilt $t \neq a_0$, weil die erste Ziffer von t nach dem Dezimalkomma verschieden von der ersten Ziffer von a_0 nach dem Dezimalkomma ist. Es gilt $t \neq a_1$, weil die zweite Ziffer von t nach dem Dezimalkomma verschieden von der zweiten Ziffer von a_1 nach dem Dezimalkomma ist. Es gilt $t \neq a_2$, weil die dritte Ziffer von t nach dem Dezimalkomma verschieden von der dritten Ziffer von a_2 nach dem Dezimalkomma ist. Es gilt $t \neq a_3$, weil die vierte Ziffer von t nach dem Dezimalkomma verschieden von der vierten Ziffer von a_3 nach dem Dezimalkomma ist. Allgemein gilt $t \neq a_n$, weil sich die Dezimalzahlendarstellungen von t und a_n an einer bestimmten Stelle gravierend unterscheiden.

Damit ist (**) verifiziert und Cantors unsterblicher Beweis abgeschlossen.

GLOSSAR

Abschnitt – Menge aller Bruchzahlen, die kleiner als eine bestimmte Bruchzahl sind.

Abstraktor – Exakte Beschreibung einer Menge durch Angabe charakteristischer Eigenschaften ihrer Elemente.

Archimedisches Prinzip – Besagt, dass es zu jeder positiven reellen Zahl R eine natürliche Zahl gibt, die größer als R ist.

Bijektion – Umkehrbar eindeutige Zuordnung zwischen den Elementen zweier Mengen.

Bruchzahlen – Alle Zahlen der Form $\frac{m}{n}$, wo m, n natürliche Zahlen sind und $n \neq 0$ gilt.

Cartesisches Produkt – Menge $A \times B$ aller Paare (a, b), wo a ein Element der Menge A und b ein Element der Menge B ist.

Dichtliegen – Eine Teilmenge T einer geordneten Punktmenge P liegt dicht in P, wenn zwischen zwei Elementen von P immer unendlich viele Elemente von T liegen.

Element – Grundbegriff der Mengenlehre. Ist das Objekt x ein Element der Menge y, so schreibt man $x \in y$.

Hauptsatz der Zahlentheorie – Jede natürliche Zahl größer als 1 lässt sich (bis auf die Reihenfolge der Faktoren) eindeutig als Produkt von Primzahlen schreiben.

Natürliche Zahlen – Die Zahlen 0, 1, 2, 3, 4, 5 usw. Mengentheoretisch als Modellmengen definiert, die die Eigenschaften (E1), (E2) und (E3) erfüllen.

Primzahl – Natürliche Zahl größer als 1, die sich nicht in ein Produkt von natürlichen Zahlen größer als 1 zerlegen lässt (z. B. 2, 13, 29, 37).

Pythagoreischer Lehrsatz – Wenn a, b und c die Seitenlängen in einem rechtwinkeligen Dreieck sind, wobei die Seiten der Längen a und b den rechten Winkel einschließen, dann gilt $a^2 + b^2 = c^2$.

Reelle Zahl – Punkt auf der Zahlengeraden.

Segment – Menge von Bruchzahlen, die die für die Abschnitte typischen Eigenschaften (S0), (S1) und (S2) erfüllt.

Teilmenge – A heißt Teilmenge von B, wenn jedes Element von A auch ein Element von B ist. Schreibt: $A \subset B$.

Zahlengerade – Menge aller Punkte, die entweder Elemente des Zahlenstrahls oder Gegenzahlen derselben sind.

Zahlenstrahl – Menge aller Segmente.

WICHTIGE ZAHLENBEREICHE

$\mathbb{N}$ Menge der natürlichen Zahlen

$\mathbb{N}^*$ Menge der natürlichen Zahlen, die größer als 0 sind

$\mathbb{P}$ Menge der Primzahlen

$\mathbb{U}$ Menge der ungeraden Zahlen

$\mathbb{B}$ Menge der Bruchzahlen

$\mathbb{B}^*$ Menge der Bruchzahlen, die größer als 0 sind

$\mathbb{B}_\nu$ Menge der Bruchzahlen von der Form $\frac{n}{1}$ mit $n \in \mathbb{N}$

$[b]$ Menge aller Bruchzahlen, die kleiner als b sind

$\mathbb{X}_\beta$ Menge aller Abschnitte $[b]$ von Bruchzahlen b

$\mathbb{X}$ Menge aller Segmente (der Zahlenstrahl)

$\mathbb{R}$ Menge der reellen Zahlen (die Zahlengerade)

Literaturhinweise

ALLGEMEINVERSTÄNDLICHE LITERATUR

Bolzano, B.: Paradoxien des Unendlichen, in: Philosophische Texte (Hrsg.: Neemann, U.). Stuttgart 1984.

Colerus, E.: Von Pythagoras bis Hilbert – Die Epochen der Mathematik und ihre Baumeister. Augsburg 1989.

Davis, P.J. und Hersh, R.: Erfahrung Mathematik. Basel 1996.

Doxiadis, A.: Onkel Petros und die Goldbach'sche Vermutung. Bergisch Gladbach 2001.

Fraenkel, A.: Einleitung in die Mengenlehre. 3. Auflage. Berlin 1928.

Hardy, G.H.: A Mathematician's Apology. Cambridge 1992.

Hofstadter, D.R.: Gödel, Escher, Bach – Ein Endloses Geflochtenes Band. 15. Auflage. Stuttgart 1999.

Kaplan, R.: The Nothing that is – A natural history of Zero. London 1999.

Klein, F.: Elementarmathematik vom höheren Standpunkt aus. Berlin 1924.

Lang, S.: Faszination Mathematik – Ein Wissenschaftler stellt sich der Öffentlichkeit. Braunschweig / Leipzig 1989.

Meschkowski, H.: Hundert Jahre Mengenlehre. München 1973.

Meschkowski, H.: Problemgeschichte der neueren Mathematik (1800–1950); Problemgeschichte der Mathematik I/II. Mannheim / Wien / Zürich 1978; 1984 (2. Auflage) / 1981.

Pracht, E. und Heidenreich, K.: Elementare Zahlentheorie. Paderborn 1978.

Purkert, W. und Ilgauds, H.J.: Georg Cantor. Basel / Boston / Stuttgart 1987.

Reichel, H.-C. und Prat de la Riba, E.H. (Hrsg.): Naturwissenschaft und Weltbild – Mathematik und Quantenphysik in unserem Denk- und Wertesystem. Wien 1992.

Rucker, R.: Infinity and the Mind – The Science and Philosophy of the Infinite. Boston 1982.

Singh, S.: Fermats letzter Satz – Die abenteuerliche Geschichte eines mathematischen Rätsels. München 1998.

Stewart, I.: The Problems of Mathematics. Oxford 1987.

Tietze, H.: Gelöste und ungelöste mathematische Probleme aus alter und neuer Zeit 1 und 2. 2. Auflage. München 1959.

Titchmarsh, E.C.: Mathematics for the General Reader. New York 1981.

Wussing, H. und Arnold, W. (Hrsg.): Biographien bedeutender Mathematiker. 2. Auflage. Köln 1985.

FACHLITERATUR

Bachmann, H.: Transfinite Zahlen. 2. Auflage. Berlin / Heidelberg / New York 1967.

Cantor, G.: Gesammelte Abhandlungen mathematischen und philosophischen Inhalts mit erläuternden Anmerkungen sowie mit Ergänzungen aus dem Briefwechsel Cantor – Dedekind (Hrsg.: Zermelo, E.). Berlin 1932.

Chandrasekharan, K.: Introduction to Analytic Number Theory. Berlin / Heidelberg / New York 1968.

Dedekind, R.: Was sind und was sollen die Zahlen? 10. Auflage. Braunschweig 1965.

Dedekind, R.: Stetigkeit und irrationale Zahlen. 7. Auflage. Braunschweig 1965.

Literaturhinweise

Ebbinghaus, H.-D. e.a. (Red.: Lamotke, K.): Zahlen. 3. Auflage. Berlin / Heidelberg / New York 1992.

Halmos, P.R.: Naive Mengenlehre. 5. Auflage. Göttingen 1994.

Heuser, H.: Lehrbuch der Analysis. Teil 1 und 2 (15. und 12. Auflage). Stuttgart 2003 und 2002.

Hilbert, D.: Grundlagen der Geometrie. 14. Auflage (Hrsg.: Toepell, M.). Stuttgart 1999.

Hlawka, E. und Schoißengeier, J.: Zahlentheorie – Eine Einführung. 2. Auflage. Wien 1990.

Jänich, K.: Funktionentheorie – Eine Einführung. 5. Auflage. Berlin / Heidelberg / New York 1999.

Jech, T.: Set Theory. 3. Auflage. Berlin / Heidelberg / New York 2003.

Klaua, D.: Konstruktion ganzer, rationaler und reeller Ordnungszahlen und die diskontinuierliche Struktur der transfiniten reellen Zahlenräume. Berlin 1961.

Landau, E.: Grundlagen der Analysis. Frankfurt am Main 1970.

Prachar, K.: Primzahlverteilung. Berlin / Heidelberg / New York 1978.

Ribenboim, P.: The Little Book of Big Primes. Berlin / Heidelberg / New York 1991.

Riesel, H.: Prime Numbers and Computer Methods for Factorization. 2. Auflage. Boston / Basel / Stuttgart 1994.

Scharlau, W. und Opolka, H.: Von Fermat bis Minkowski – Eine Vorlesung über Zahlentheorie und ihre Entwicklung. Berlin / Heidelberg / New York 1980.

Schneider, T.: Einführung in die transzendenten Zahlen. Berlin / Göttingen / Heidelberg 1957.

Stewart, I. und Tall, D.: The Foundations of Mathematics. Oxford 1985.

Takeuti, G. und Zaring, W.M.: Introduction to Axiomatic Set Theory. 2. Auflage. Berlin / Heidelberg / New York 1982.